Choix et trahisons

Dans la même série

Les Loups du tsar, La loyauté et la foi, roman, 2009.

Les Loups du tsar, La naissance et la force, roman, 2009.

Les Loups du tsar, Le courage et l'humilité, roman, 2009.

Jeunesse

Le trésor des SS, série Phoenix, détective du Temps, Montréal, Trécarré, 2009.

M'aimeras-tu assez ?, Montréal, Trécarré, coll. « Intime », 2008.

Ma vie sans toi, Montréal, Trécarré, coll. « Intime », 2008.

Les enfants de Poséidon, Le retour des Atlantes, Montréal, Éditions La Semaine, 2008.

Les enfants de Poséidon, Les lois de la communauté, Montréal, Éditions La Semaine, 2007.

Les enfants de Poséidon, La malédiction des Atlantes, Montréal, Éditions La Semaine, 2007.

L'empereur immortel, série Phoenix, détective du Temps, Montréal, Trécarré, 2007.

Une histoire de gars, Montréal, Trécarré, coll. « Intime », 2007.

L'énigme du tombeau vide, série Phoenix, détective du Temps, Montréal, Trécarré, 2006.

À contre-courant, Montréal, Trécarré, coll. « Intime », 2005.

De l'autre côté du miroir, Montréal, Trécarré, coll. « Intime », 2005.

Entre lui et elle, Montréal, Trécarré, coll. « Intime », 2005.

L'amour dans la balance, Montréal, Trécarré, coll. « Intime », 2005.

Trop jeune pour moi, Montréal, Trécarré, coll. « Intime », 2005.

Adulte

Le grand deuil, Montréal, Éditions Michel Brûlé, 2007.

L'eau, le défi du siècle, Montréal, Éditions Publistar, 2005.

Pour quatorze dollars, elles sont à vous (avec Céline Lomez), Éditions Publistar, coll. « Bibliographie », 2004.

SYLVIE-CATHERINE DE VAILLY

LES LOUPS DU TSAR 4

CHOIX ET TRAHISONS

LES ÉDITIONS DES INTOUCHABLES
512, boulevard Saint-Joseph Est, app. 1
Montréal (Québec)
H2J 1J9
Téléphone : 514 526-0770
Télécopieur : 514 529-7780
www.lesintouchables.com

DISTRIBUTION : PROLOGUE
1650, boulevard Lionel-Bertrand
Boisbriand (Québec)
J7H 1N7
Téléphone : 450 434-0306
Télécopieur : 450 434-2627

Illustration de la couverture : Alexandre Girard
Infographie : Marie Leviel
Révision : Élyse-Andrée Héroux, Maude Schiltz
Correction : Chantale Bordeleau

Les Éditions des Intouchables bénéficient du soutien financier du gouvernement du Québec — Programme de crédit d'impôt pour l'édition de livres — Gestion SODEC et sont inscrites au Programme de subvention globale du Conseil des Arts du Canada.

Nous reconnaissons l'aide financière du gouvernement du Canada par l'entremise du Programme d'aide au développement de l'industrie de l'édition (PADIÉ) pour nos activités d'édition.

Membre de l'Association nationale des éditeurs de livres.

Dépôt légal : 2010
Bibliothèque et Archives nationales du Québec
Bibliothèque nationale du Canada

ISBN : 978-2-89549-412-6

CHAPITRE I

*Cabinet de travail du tsar Nicolas II de Russie, palais d'Hiver, Saint-Pétersbourg, quelques jours après l'annonce de l'assassinat de l'archiduc François-Ferdinand**

— Votre Majesté, j'ai, pendant des mois et des années, œuvré pour tenter de constituer un dossier solide qui viendrait appuyer les accusations que je porte à votre attention aujourd'hui. Les quelques éléments que j'ai pu réunir durant tout ce temps sont là, entre vos mains, déclara le Chef de meute Arkadi Klimentinov en désignant le dossier posé sur le bureau du tsar.

L'empereur de toutes les Russies suivit du regard la main du Loup qui se tendait vers le rapport posé devant lui. Il fixa celui-ci d'une étrange façon, comme s'il cherchait à en lire le contenu sans avoir à l'ouvrir. Ses yeux exprimaient un malaise, voire de l'inquiétude, et ses gestes vifs trahissaient une certaine agitation qu'il cherchait visiblement à contenir. Il releva la tête pour demander à celui qui se trouvait devant lui :

— Arkadi Klimentinov, nous connaissons depuis toujours votre réputation. Vous êtes le fils adoptif de notre ami, le regretté Gregori, et nous savons que vous êtes doté d'une très grande intégrité, que vous êtes entièrement dévoué à votre confrérie et que votre parole est loyale...

Nicolas II marqua un temps avant de reprendre :

— Mais... Vos accusations sont si...

Le monarque semblait hésiter.

— ...sont très... très graves. En êtes-vous conscient ? demanda le monarque, le front plissé de doutes.

De ses yeux noirs et profonds, le Loup observait très attentivement les expressions faciales du tsar, remarquant la nervosité de ses gestes et sa grande anxiété, et ce, depuis qu'il avait été introduit dans son cabinet de travail. Nicolas II n'était pas à l'aise, et Arkadi en devinait presque les raisons.

— Oui, Votre Majesté, j'en suis tout à fait conscient, certifia le sénéchal en hochant la tête d'un petit coup franc, comme un salut. Jamais je ne me serais permis de vous déranger si je n'avais pas été totalement convaincu de ce que j'avance. Jamais je n'aurais fait tout ce chemin depuis Kostroma et demandé une audience privée si j'avais eu la moindre incertitude. Et des doutes, Votre Altesse, je n'en ai point. Mes preuves ne seront peut-être pas à la hauteur de mes accusations, mais sachez que mon jugement, lui, est infaillible. Je suis persuadé de ce que j'atteste, et même si mes dénonciations sont moins étayées que je le voudrais, ma conviction, elle, est tout entière.

Le ton du Chef de meute était empreint de tant d'assurance et ses attestations semblaient si véridiques que Nicolas II, qui l'observait avec un intérêt marqué, se demanda pendant un instant s'il ne devait pas le croire. Il reporta son attention sur l'enveloppe cartonnée. Lentement, il y passa sa main, incertain. Ses yeux restèrent accrochés pendant quelques secondes sur le sceau de la confrérie, imprimé en relief dans un cachet de cire. Son front se creusa de nouveaux plis profonds. L'empereur était fatigué, et cette nouvelle affaire venait allonger davantage la liste déjà considérable des soucis et des inquiétudes qui l'assaillaient et semblaient s'accumuler sans qu'il en voie la finalité.

Les choses allaient de mal en pis depuis plusieurs mois déjà, dans l'empire russe et dans le monde. Les tensions étaient terribles. L'ombre d'un conflit se profilait sur la carte européenne entre l'Autriche-Hongrie et sa puissante alliée, l'Allemagne, contre le royaume de Serbie, depuis l'assassinat, survenu à Sarajevo, de l'archiduc François-Ferdinand et de sa femme Sophie de Hohenberg. S'il devait éclater, ce conflit risquait de dégénérer rapidement, et si une guerre se déclarait entre ces adversaires et la Russie, elle devrait, elle aussi, prendre position. Ses relations avec la Serbie étaient trop précieuses pour qu'elle ne lui vînt pas en aide. De son côté, l'empire vivait, lui aussi, des heures assez sombres. Les révoltes intestines devenues presque quotidiennes affaiblissaient de jour en jour l'ascendant de l'empereur sur son peuple, malgré les efforts du tsar et de son gouvernement pour calmer les esprits. Lorsque Nicolas II était seul, enfermé dans son cabinet de travail ou encore lors de sa routinière balade matinale, il ne pouvait s'empêcher de trembler. Il avait l'impression que les problèmes qui secouaient son trône étaient insurmontables. Les oppositions internes étaient trop nombreuses, le mécontentement, ubiquitaire*, et les reproches contre sa personne et son règne, incalculables. Le pouvoir était chancelant, et le monarque, seul devant cette mer de problèmes, était indécis quant aux mesures à prendre pour rétablir l'équilibre. Malgré les conseils éclairés de ses ministres et de son entourage, le tsar avait l'impression que les choses lui échappaient. Personne ne semblait avoir de réelle solution. Le pays paraissait en mutation.

Certaines propositions de Lénine* sur l'avenir de la Russie lui revenaient très souvent en mémoire. Le révolutionnaire et penseur scandait que la monarchie était chose du passé, et Nicolas II en venait parfois à se demander si le militant n'avait pas raison. Un gouvernement couronné, une monarchie, un État gouverné par une seule et même puissance n'avait peut-être plus sa place en ce début de XXe siècle où tout semblait aller si vite. La monarchie ne cadrait plus avec ce nouveau siècle dans lequel l'industrialisation offrait la promesse d'un monde meilleur et où la démocratie s'affirmait de plus en plus. Le peuple votait et changeait de gouvernement selon son bon vouloir ; c'était peut-être ça l'avenir ?

Pourtant, le 300e anniversaire du règne des Romanov avait été marqué par de grandes festivités à travers tout l'empire russe, et le tsar avait bien vu dans les yeux de ses sujets l'amour qu'ils lui portaient. Pourquoi donc, aujourd'hui, son peuple se révoltait-il encore ? Il pensait pourtant avoir rétabli la paix dans son royaume. Force lui était de reconnaître que cette passion n'avait duré qu'un court instant, le temps des célébrations, lui semblait-il. Nicolas II pensait avoir maté les dissidents et les penseurs qui insufflaient des idées de liberté à son peuple, mais sitôt que ces hommes avaient été arrêtés, de nouvelles rébellions s'étaient aussitôt soulevées, plus fortes et plus violentes que par le passé. De toute évidence, le peuple l'aimait, lui, mais détestait ce qu'il représentait, et c'était là tout le problème. Ce nouveau siècle annonçait, pensait-il, la fin d'une longue tradition. La monarchie avait fait son temps. Sans jamais s'en ouvrir à son entourage, le tsar en était profondément convaincu. Les idées de république et d'égalité trouvaient de plus en plus d'adeptes à travers le monde, et l'ordre des choses en serait irrémédiablement bouleversé. Pouvait-on freiner les courants de pensée ? Il lui semblait bien que non. Les événements devaient suivre leur cours, avec ou sans royauté.

C'étaient là les nombreuses questions qui circulaient dans les contrées russes, des questions auxquelles le tsar lui-même cherchait des réponses.

Ce que Nicolas II comprenait fort bien cependant, c'était qu'il se trouvait entre deux feux : soit il faisait taire ces militants et ces intellectuels aux idées nouvelles en les faisant emprisonner — et le peuple l'accuserait alors de dictature et de despotisme —, soit il les laissait en liberté, et cela revenait au même. L'affaire était loin d'être simple. Voilà où en était la situation interne de son pays. Jamais encore un Romanov n'avait été confronté à une telle crise.

Les tsars ou encore les empereurs n'avaient pas toujours été les héros de leurs sujets, bien sûr, mais jamais encore ceux-ci n'en étaient arrivés à vouloir renverser ce qui était établi depuis des siècles. On pouvait se débarrasser d'un monarque ou d'un dirigeant, certes, mais son régime, lui, bien souvent, demeurait. Nicolas II comprenait bien qu'il n'était pas l'ennemi de son peuple. Toutefois, l'empire était instable, la couronne vacillait et le représentant des Romanov se doutait bien de ce qui allait se passer. Le renversement de la monarchie française lui revenait souvent en pensée, mais il se gardait bien de faire part de ses doutes et de ses peurs à ceux qui l'entouraient. Peut-être s'imaginait-il au fond que les choses s'arrangeraient d'elles-mêmes. Du moins, il l'espérait.

Le tsar était le tsar, il ne pouvait trembler devant l'ennemi, il ne pouvait que lui faire face, et cela, au péril de sa propre vie. Nicolas II représentait la royauté, il était l'élu de Dieu sur cette Terre et, à ce titre, il devait affronter les bourrasques qui malmenaient toutes les représentations de sa souveraineté.

Et voilà que le sénéchal Arkadi Klimentinov, Chef de meute et bras droit de Raspoutine-Novyï, prieur et Grand Maître de la Confrérie des Loups et du monastère Ipatiev, accusait le moine, *son* moine, des meurtres de Gregori Bogdanovitch et d'Iakov Popovski, et d'une double tentative d'assassinat sur sa propre personne. La chose était si incroyable que le monarque, abasourdi, ne savait quoi faire ni comment réagir. Pourtant, l'homme se tenait là, devant lui, attendant visiblement une réaction de la part de son roi. Il semblait sûr de lui et de ce qu'il avançait, et cet aplomb était certainement ce qui ébranlait le plus le tsar. Mais ses révélations étaient si choquantes !

Nicolas II connaissait fort bien la réputation d'Arkadi, et celle-ci était des meilleures — sans oublier que le Loup était le fils adoptif du regretté Grand Maître et ami du tsar lui-même, Gregori Bogdanovitch. Le saint homme, d'une grande intelligence, s'était toujours entouré de gens de valeur et avait toujours su lire avec clarté dans le cœur des hommes. De son vivant, il n'avait de cesse de louanger les exploits de son fils adoptif, sa grande capacité à appréhender les événements et son intelligence fort aiguisée. Arkadi était, selon l'avis de tous, un grand Loup, un des meilleurs que la confrérie ait compté dans ses rangs.

Nicolas II comprenait que les accusations que portait le sénéchal contre le prieur devaient être prises au sérieux ; cet homme n'était pas un bouffon. Mais le tsar pensa d'abord que les charges déposées contre son confident étaient fort troublantes et totalement burlesques. L'empereur concevait difficilement que son conseiller, Raspoutine, cet homme qu'il considérait comme son ami et qui partageait le quotidien de la famille royale, celui qui soignait son fils et démontrait de réels talents de *staretz**, pouvait s'être rendu coupable de meurtre et de tentative de meurtre. C'était impossible. Mais ce qui troublait Nicolas II, c'est que l'homme qui se trouvait devant lui était, lui aussi, digne de foi.

L'empereur était déstabilisé. Il lui fallait réfléchir. La situation était loin d'être simple, et le tsar devait prendre le temps de tirer toute cette affaire au clair. Il décida qu'il lirait le dossier avec toute l'attention nécessaire. Par la suite, il confronterait les deux hommes, si cela devait se faire, avant de rendre quelque jugement que ce soit. Il devait agir en monarque et appliquer la loi, et ce, sans tenir compte de ses propres émotions, de sa confiance et de son amitié pour le moine, ou encore de ses sentiments pour feu Gregori. Voilà ce qui lui semblait juste, voilà ce qu'il devait faire.

— Soyez assuré que nous allons examiner très attentivement ce rapport, Arkadi. Nous vous tiendrons rapidement au courant de nos décisions, puisque nous partons en Crimée dans quelques jours.

Le Loup sembla insatisfait de la réponse, mais il ne pouvait contredire la décision de son empereur. Avec respect, il salua le monarque d'un léger mouvement du torse avant de se retirer du cabinet de travail. En refermant la porte derrière lui, Arkadi savait déjà que ses accusations contre le Grand Maître n'iraient guère plus loin. Il venait de lire les pensées du tsar. L'homme était incertain et confus, et il espérait avec sincérité qu'il parviendrait à tirer les choses au clair avant de prendre sa décision, mais le Loup avait distinctement perçu tout le contrôle qu'exerçait le moine sur l'esprit du souverain. Nicolas II était totalement sous l'emprise de Raspoutine, malgré le respect qu'il éprouvait pour Arkadi, malgré les liens qui l'avaient uni à Gregori. Il l'avait déjà pressenti en entrant dans le cabinet de travail, mais là, il en avait eu la confirmation. Raspoutine manipulait le tsar. Sa plainte ne servirait donc à rien.

Il réalisait soudain l'impact de son action et toute son inutilité. Même si le dossier avait été suffisamment étayé pour faire accuser le moine, le tsar, tout comme la tsarine, estimait Raspoutine à tel point que jamais, dans de telles conditions, il ne donnerait raison au sénéchal, du moins pas publiquement. Au moment de déposer sa plainte, Arkadi était loin de réaliser que le moine avait pris autant de place auprès des Romanov, que l'empereur et sa famille estimaient le religieux avec tant de considération.

« Mes accusations contre le prieur reposent, somme toute, sur de bien maigres preuves, songea le Loup, hors de lui. Mon dossier, trop incomplet, ne fera pas le poids devant l'attachement qu'éprouve le couple royal pour ce moine diabolique. Mon intervention se compare à un coup d'épée dans l'eau. Je ne parviendrai qu'à m'attirer la méfiance du tsar, qui n'hésitera pas à parler de mes accusations à Raspoutine. Mon désir de voir tomber le prieur en disgrâce était tel qu'il n'a eu pour effet que de me berner. J'étais tellement convaincu que j'avais les moyens de faire arrêter cet homme que j'en ai oublié de réfléchir. J'ai agi comme un idiot en exhibant ainsi mes trop maigres preuves. C'est si évident ! Comment n'y ai-je pas pensé avant ? Je suis un imbécile, j'ai agi sans réfléchir, et Raspoutine va se délecter de mon erreur... Mais je ne pouvais attendre plus longtemps, les années passent... »

L'herboriste qu'il avait consulté bien des mois auparavant lui avait transmis un document attestant que les cheveux et les rognures d'ongles analysés contenaient effectivement des traces mortelles de cyanure, mais cette affirmation ne rattachait d'aucune façon le crime de l'ancien secrétaire à Raspoutine. Rien ne prouvait que le prieur avait versé le poison dans le gobelet d'Iakov, et aucune preuve ne démontrait non plus que Gregori avait été empoisonné, puisque le sénéchal, loin de se méfier à cette époque, n'avait pas prélevé de cheveux du vieil homme avant que celui-ci fût inhumé. Pour faire ces analyses, il lui aurait alors fallu exhumer le corps du Grand Maître, mais sous quel prétexte ? Jamais on ne lui aurait permis de faire ça. Maintenant qu'il voyait les choses sous un autre angle, il réalisait que Nicolas II allait employer ces arguments contre sa thèse, il en était certain.

Pour ces deux crimes, seuls ses propres soupçons tenaient lieu de preuve, ce qui n'avait, en réalité, aucun poids légal. Ensuite viendraient les deux tentatives de meurtre sur sa propre personne. Arkadi se souvenait maintenant avec exactitude de la présence du moine avec les hommes qui l'avaient agressé sauvagement dans la forêt de Kostroma. Il revoyait nettement son visage penché sur le sien et ses yeux bleus, si froids, totalement dépourvus de compassion. Il entendait encore, comme dans un lointain écho, les dernières paroles qu'avait échangées le prieur avec le chef de la bande :

« Qu'en faisons-nous ?

— Tuez-le ! avait commandé le Grand Maître avant d'ajouter : Attendez mon départ et éliminez-le. On se retrouve là où vous savez. Ne traînez pas en chemin. »

Ces paroles étaient imprégnées en lui, tatouées en son âme pour le restant de sa vie.

Mais malgré ses souvenirs, rien ne reliait le magistère à rien, puisque aucun témoin encore vivant n'avait assisté à la scène et que le seul qui aurait pu témoigner avait trépassé dans sa cellule ; le brigand s'était lui-même donné la mort, un autre élément qui n'avait rien de bien régulier. Pourquoi ce dernier s'était-il enlevé la vie, si ce n'était par peur de celui qui avait initialement commandité ce meurtre ? Comme Sevastian l'avait lui-même envisagé avant d'en faire part à Arkadi lors de la découverte du macchabée dans la cellule, celui qui avait engagé ces hommes avait certainement un très grand pouvoir de persuasion. Il fallait imposer une grande crainte pour contraindre de tels voyous à s'enlever la vie si jamais ils étaient pris vivants, eux qui manipulaient la peur au quotidien, l'utilisant contre les autres ! Ces hommes n'étaient pourtant pas des couards. Il était évident que celui qui les avait embauchés exerçait une terrible et immense emprise sur eux.

Même la tentative d'empoisonnement sur sa propre personne ne s'accompagnait d'aucun témoignage concret. De plus, Arkadi courait le risque qu'une enquête soit ouverte et que la preuve mette au jour le rôle bien innocent de sa chère Ekaterina. Il savait tout cela et connaissait les dangers qu'il faisait encourir à la Louve, mais il devait agir. Ils en avaient longuement discuté tous les deux avant son départ pour la capitale. Son amante serait forcément questionnée pour être enfin innocentée, mais il devinait que les soupçons qui pèseraient sur elle ébranleraient considérablement la femme ainsi que leur relation. Mais pouvait-il faire autrement ? Non, et ils le savaient tous les deux. L'empereur devait être instruit de cette histoire, même si cela devait entraîner certaines contrariétés. En réalité, son dossier ne reposait que sur de simples présomptions. Il savait que le prieur était coupable de tous ces crimes, il en était profondément convaincu, mais il n'avait aucune preuve pouvant mener à des accusations formelles.

Alors qu'il prenait la direction de Saint-Pétersbourg après avoir demandé une audience privée au tsar, Arkadi savait pertinemment que son dossier ne pesait guère lourd. Il était alors tout à fait conscient que ses suppositions, si peu étoffées, seraient écartées d'un simple revers de la main du tsar. Ses accusations ne tiendraient pas la route. Mais il avait tout de même pris la décision d'aller jusqu'au bout, car son idée était faite sur le sujet. Il ne pouvait attendre plus longtemps ; des mois, des années s'étaient déjà écoulées depuis le début de cette sombre histoire et le temps filait si rapidement qu'il devait agir, même s'il savait que son action, dans l'immédiat, pouvait se révéler vaine. Retarder encore en espérant un meilleur moment, ou attendre tout bêtement l'apparition miraculeuse d'une preuve irréfutable était utopique, selon lui. Il n'y avait pas de preuves, du moins, il ignorait où les chercher. De plus, Arkadi savait pertinemment que chaque seconde passée offrait au magistère l'occasion de mieux camoufler ses crimes, de se forger des alibis et de brouiller les pistes. Ce que le sénéchal n'avait pas prévu cependant, c'était que le moine dominait l'esprit du monarque avec autant d'emprise.

« Le tsar va rejeter mes accusations, mais j'irai tout de même jusqu'au bout de cette affaire. Je traquerai Raspoutine jusqu'à le faire culbuter. Je le dois à mon père adoptif, à Iakov, à ma chère et tendre Ekaterina ainsi qu'à moi-même. Car même si Raspoutine n'est pas accusé, même s'il s'en sort indemne, ce qui me paraît maintenant évident, le tsar gardera tout de même en mémoire les accusations portées contre son ami. Le ver sera dans le fruit, comme on dit. Le doute s'infiltrera tranquillement dans l'esprit de Nicolas II et de son entourage, et il y demeurera, stagnant et endormi, pour ressurgir au prochain faux pas du prieur. Le lustre de son énigmatique et sainte personne se ternira alors pour laisser apparaître quelques vilenies. Si Raspoutine n'est pas formellement accusé, si le tsar cherche à le disculper, je ne cesserai de discréditer son image. Raspoutine ne demeurera pas impuni, j'en fais le serment ! » conclut Arkadi pour lui-même tout en se dirigeant vers l'une des sorties du palais.

Même si le sénéchal ne savait que tenter d'autre pour faire accuser le moine, l'intégrité de celui-ci serait tout de même entachée, car Arkadi avait le pressentiment que les crimes de son prieur n'en resteraient pas là. Il lui faudrait être encore patient. À défaut de pouvoir prouver que Raspoutine était un meurtrier et un calculateur, il allait lui tendre un piège. Raspoutine ne pourra pas toujours être le plus fort. Un jour ou l'autre, le Grand Maître allait commettre une erreur qui lui serait fatale. Et ce jour-là, Arkadi serait présent.

Chapitre 2

Le superbe cheval à la robe alezane du sénéchal longeait le rivage de la Neva d'un pas lent et régulier. Arkadi admirait toute la beauté de ses rives, avec les villas, les petits palais et les demeures cossues aux couleurs si vivantes qui s'y dressaient. Au loin, l'îlot Zaïatchi*, dont le nom signifie « l'île aux Lièvres », se découpait à travers les derniers lambeaux de brouillard qui s'évanouissaient tranquillement tandis que le soleil, lui, irradiait avec résolution cette matinée qui annonçait déjà une journée chaude. La forteresse militaire Pierre-et-Paul* se dessinait sur ce contre-jour matinal, dans toute son austère splendeur. Construite en 1703 sur l'île dont elle occupait entièrement la superficie, la citadelle avait pour but d'assurer la surveillance de la Baltique et de contrôler l'accès à la Neva et à ses quelque quarante-deux îles. L'impressionnant bâtiment flanqué de six tourelles regroupait, à l'intérieur de ses murs, plusieurs constructions, et le tout formait un hexagone. Après un incendie majeur en 1740, l'ensemble avait été reconstruit en briques rouges, ce qui conférait au lieu un aspect sévère qui tranchait singulièrement avec les couleurs riches et éclatantes des demeures qui paraient la rive d'en face. Au milieu de ce long contrefort militaire dépourvu de fantaisie s'élevait une construction qui détonnait avec l'ensemble, la cathédrale Pierre-et-Paul. L'édifice, d'un jaune crémeux, se distinguait de l'ensemble non seulement par sa couleur, mais également par sa flèche d'or et son ange qui s'élevaient vers le ciel.

D'où il se trouvait, Arkadi voyait fort bien le pont de bois qui menait à l'île aux Lièvres et à son entrée en pierres blanches. Les rivages qui bordaient Saint-Pétersbourg étaient en réalité des rives plates et marécageuses, et le tout se distinguait par le nombre important de ponts qui reliaient entre elles les différentes îles, quarante-deux, en tout.

— Un bien impressionnant bâtiment, conclut-il à voix basse, avant d'orienter son fidèle cheval vers la célèbre perspective Nevski.

L'artère centrale, qui traversait la capitale impériale et s'étendait sur plus de quatre kilomètres, était encadrée entre autres de boutiques à la mode, de salons de thé et du théâtre Aleksandra. À cette heure matinale, la circulation était assez calme. Les habitants n'avaient pas encore envahi les rues et les trottoirs. Le Loup remarqua que la rue principale ainsi que toutes les rues et avenues de la capitale d'ailleurs étaient placardées d'avis adressés à la population pétersbourgeoise au sujet du dernier décret du tsar :

Nicolas II de Russie, empereur et autocrate de toutes les Russies, roi de Pologne et grand-duc de Finlande, informe la population russe que la capitale impériale, Saint-Pétersbourg, prendra le nom de Petrograd à compter du 19 juillet 1914.*

Telle est la volonté du tsar.

Que Dieu bénisse notre pays.

Cette déclaration était également diffusée dans les journaux et voyageait déjà dans toute la Russie, en Europe et dans le reste du monde. Arkadi avait été mis au fait de la nouvelle depuis quelque temps déjà, depuis l'attentat contre l'archiduc François-Ferdinand, en réalité. En tant que sénéchal de la Confrérie des Loups, il en avait été informé aussitôt que la décision avait été prise : à cause de la situation politique actuelle et des tensions secouant l'Europe et l'empire prussien, il avait été décidé que le nom de la capitale, jugé de consonance trop allemande, serait russifié. Ainsi, Saint-Pétersbourg devenait Petrograd.

Le Loup dirigeait distraitement son cheval. Son esprit était à des années-lumière des mouvements de la ville qui se réveillait, des échanges quelque peu bruyants entre ses habitants, des commerces qui ouvraient leurs portes et retiraient les volets des vitrines, de ces gamins qui criaient la nouvelle au coin des rues, des klaxons qui emplissaient l'air de leurs notes criardes et du tumulte matinal propre à toutes les grandes villes. En voyant une automobile passer de l'autre côté de la rue, le Loup songea à Viktor et au bonheur qu'il avait certainement ressenti la première fois qu'il avait vu un de ces engins circuler.

Mais ses pensées ne s'attardèrent pas très longtemps sur le sujet, et son attention ne fut pas non plus captivée par les rumeurs qui circulaient un peu partout en Russie et qui lui revenaient trop régulièrement aux oreilles. Ni par les tensions qui préoccupaient les citoyens, et encore moins par cette imminente déclaration de guerre que le monde entier appréhendait en retenant son souffle. L'actualité ne le préoccupait guère depuis quelque temps. Ses pensées étaient entièrement tournées vers des soucis qui le touchaient plus personnellement. Il songeait à tout ce qu'il avait vécu depuis quelques années et aux raisons de sa présence ici, à des kilomètres de Kostroma et de son Ekaterina. À tous les chambardements qu'avaient subis sa quiétude et ses habitudes. À tous ces drames qui ponctuaient sa vie depuis la mort de son père adoptif, survenue une dizaine d'années auparavant. Il fallait parfois déplacer un seul élément pour que le reste en soit totalement bouleversé.

Il se rendit à la commanderie de la confrérie afin de retrouver ses frères, et plus particulièrement Viktor qui lui manquait terriblement. Il s'était informé ; Raspoutine se trouvait à Moscou depuis quelques jours. De plus, il savait pertinemment que le Grand Maître ne séjournait que très rarement à la résidence des Loups située non loin de la place Ostrovski. De ce fait, il y avait bien peu de chances pour que les deux hommes se croisent. Bien que le prieur fût absent, Arkadi présageait que le Grand Maître était tout à fait au courant de sa présence dans la capitale depuis l'instant où il y avait mis les pieds. Le Loup présumait que le moine connaissait aussi les raisons qui l'avaient poussé à quitter le monastère sans sa permission pour venir rencontrer le tsar. D'ailleurs, son entrevue avec le monarque n'était pas secrète, et le moine devait bien avoir quelques espions au sein même des ministres et des proches de Nicolas II. Le contraire serait étonnant. Après tout, il était le Grand Maître de la confrérie. À ce titre, il se devait de tout savoir, de connaître les faits et gestes, les pensées de celui que leur communauté protégeait au prix de leur vie. Protéger l'empereur de Russie voulait dire penser et agir pour lui, et cela, bien souvent malgré lui. Le tsar ignorait jusqu'à quel point la confrérie était présente dans sa vie et dans les décisions qui touchaient la Russie. D'ailleurs, il n'avait pas à être au courant puisque la confrérie n'appartenait pas à l'État, elle était une entité bien à part.

Le cheval s'ébroua, ce qui eut pour effet de ramener le Chef de meute à la réalité. Il cligna plusieurs fois des yeux, comme s'il s'éveillait. Arkadi jeta un bref regard autour de lui avant de passer sa main sur sa figure, comme pour se forcer à reprendre contact avec son environnement immédiat. Il était très fatigué, avait faim, se sentait poussiéreux. Pour l'heure, il ne souhaitait plus qu'une chose : embrasser son fils, prendre un bain et peut-être dormir un peu, bien que cette dernière éventualité lui parût peu probable. Il était arrivé à Saint-Pétersbourg aux petites heures du matin, moment auquel avait été fixée sa rencontre avec Nicolas II. C'est pourquoi il n'avait pas eu le temps de passer à la commanderie des Loups pour se changer ni se reposer, et encore moins manger. Le rendez-vous avait été prévu aux matines* et, au grand étonnement du Loup, il n'avait duré que vingt minutes à peine. Vingt petites minutes durant lesquelles le sénéchal avait bien senti que le monarque n'acceptait de le recevoir et de l'écouter que parce qu'il était un Loup, mais surtout parce qu'il était le fils adoptif de Gregori et que Nicolas II avait toujours su apprécier et aimer le grand homme qu'il avait été.

Vingt minutes seulement pour tenter de convaincre l'empereur russe de la culpabilité de son homme de confiance et ami. Vingt minutes pour discréditer le Grand Maître auprès de celui qui voyait en lui un messager de Dieu qui avait plusieurs fois sauvé la vie de son fils, le *tsarevitch* Alexis.

La salle d'armes avait la taille d'un gymnase et était pourvue de tout l'équipement nécessaire pour qui désirait entretenir sa forme physique et développer ses capacités dans différents arts de combat. Dans la partie sud de la pièce se trouvait suspendue aux murs une collection impressionnante d'armes blanches, principalement des lames comme des rapières, des fleurets, des sabres comme ces *tantos** et ces *katanas**, des cimeterres, des estramaçons, des épées à deux mains, des claymores*, des yatagans*, des dagues, quelques poignards au manche joliment ouvragé, des *shurikens** et des hallebardes. Au nord, des appareils de gymnastique offraient la possibilité de s'exercer au cheval d'arçon, aux espaliers, aux agrès et aux haltères, et à l'est de la salle s'étendaient des tatamis pour le combat au sol. Le tir à l'arc et l'entraînement équestre avaient lieu dans l'immense parc à l'arrière du manoir, et le tir au revolver se faisait dans les caves parfaitement isolées de la commanderie. L'immense résidence, belle, à l'allure épurée et sans artifices, ne détonnait guère en réalité avec ce qui se passait entre ses murs. Il n'y avait pas ici de bals somptueux, de repas fastes et de rencontres entre gens de bonne société. Il s'y déroulait plutôt l'entraînement quotidien de ceux qui veillaient sur le pouvoir en place. La commanderie de la Confrérie des Loups était un lieu austère dont les occupants n'étaient là que pour une seule et unique chose : détourner tout attentat contre le pouvoir et garantir l'équilibre du pays grâce au maintien de celui qui le dirigeait, qui que fût ce dernier !

Les Loups menaient une vie presque monastique, les services religieux en moins, bien que plusieurs étaient très croyants et pratiquants. Une messe avait lieu chaque matin et la petite chapelle était bien souvent pleine. Comme pour la plupart des Russes, la religion orthodoxe occupait une place importante dans la vie de tous les jours, mais nos Loups n'étaient pas des moines, loin de là. Ils ne prononçaient aucun vœu ayant un quelconque lien avec la religion. Leur seul engagement solennel consistait à servir corps et âme la confrérie qu'ils représentaient, rôle auquel ils étaient destinés dès la naissance.

Les habitudes de vie avaient été établies depuis la création de l'ordre, des siècles auparavant. Ils étaient levés sitôt les matines, et leurs journées débutaient par un entraînement physique rigoureux, et ce, trois cent soixante-cinq jours par année. Ni les conditions météorologiques ni leur humeur personnelle ne les faisaient déroger à cette pratique. Il fallait être gravement malade ou blessé pour se voir exempté des règles de vie de la confrérie. Ensuite, tous se rendaient dans la salle à manger pour prendre un petit-déjeuner consistant mais frugal : fromage blanc, *koulibiak**, *kasha** et thé, avant de retourner à l'entraînement. La plupart de leurs occupations étaient généralement liées à la communauté et à la commanderie, et ils disposaient de deux heures en après-midi pour leurs intérêts personnels qui, bien souvent, se limitaient à la lecture ou à des parties de cartes. Les Loups n'avaient pas le droit de sortir de l'enceinte de la commanderie si ce n'était pour partir en mission ou à la chasse lorsqu'ils se trouvaient au monastère. Une vraie vie monacale faite d'une grande discipline sur laquelle reposait toute la réussite de leur mission.

Depuis une heure déjà, Anton Tcherenkov voyait à l'entraînement de ses hommes. Il leur prodiguait quelques conseils, n'hésitait pas à prendre une arme pour donner l'exemple et tentait de poursuivre de son mieux l'entraînement des Loups, des Louves et des frères lais en l'absence du Grand Maître Raspoutine-Novyï. Mais Tcherenkov était un Loup, au même titre que les autres membres de la confrérie qui se trouvaient là. On lui avait octroyé la responsabilité de mener l'expédition jusqu'à la capitale impériale, et il avait alors pensé que sa charge de meneur de troupe prendrait fin une fois sur place. Mais depuis l'arrivée de la nouvelle garde à Saint-Pétersbourg, il lui était revenu officieusement le rôle de diriger cette élite en l'absence du prieur ou de tout autre maître d'armes que ce soit. Et tout naturellement, les Loups s'étaient tournés vers celui qui les avait conduits jusque-là, c'est-à-dire lui, Anton Tcherenkov.

Tout comme Arkadi, l'homme dégageait l'assurance et l'autorité naturelles qui faisaient d'eux des meneurs. En réalité, le Loup aurait préféré qu'il en soit autrement. Il n'aimait pas beaucoup sa position.

Par ailleurs, le Chef de meute s'interrogeait très souvent sur la suite des événements. Il ne parlait à personne de ses inquiétudes parce qu'il devait faire office de figure d'autorité, mais il ressentait depuis leur arrivée dans la capitale une certaine insécurité face aux décisions à venir. Bien entendu, il recevait quotidiennement, et même plusieurs fois par jour, des missives du Grand Maître contenant quelques directives à suivre, mais il s'avouait en aparté qu'il avait bien hâte de reprendre sa place de Loup auprès de ses frères et sœurs d'armes. Il ne désirait pas être le chef de ses compagnons d'aventures puisqu'il se sentait égal à eux et qu'il n'en avait tout simplement pas l'ambition. Anton n'aimait pas le rôle qu'on lui faisait jouer dans cette histoire depuis leur départ du monastère. Si Arkadi avait été présent, il lui aurait volontiers délégué cette fonction qui lui pesait trop lourdement sur les épaules. Le Loup préférait partir en mission et se retrouver en situation de combat, avec les risques que cela impliquait, plutôt que d'être forcé de diriger l'entraînement de ses confrères et d'assurer le bon fonctionnement de la commanderie. À vrai dire, cela l'énervait profondément. De toutes ces responsabilités il n'avait cure. Ce qu'il aimait, c'était partir en campagne pour accomplir son destin de Loup, participer aux opérations de commando et prendre des risques. Anton était un homme de terrain, non de gestion. Il s'ennuyait dans ce rôle qu'on lui avait confié.

Il en était à ces réflexions lorsque des murmures s'élevèrent entre les rangs. Le Chef de meute, inquiet, tourna la tête vers la porte d'entrée de la salle d'armes où tous les regards se portaient.

Devant lui, à quelques mètres à peine, son souhait le plus cher venait de se matérialiser en chair et en os : Arkadi Klimentinov avançait d'un pas alerte, le sourire aux lèvres et le regard enjoué.

— Anton, mon ami, qu'as-tu à me dévisager comme ça ? On dirait que tu as vu un fantôme ! s'écria le sénéchal.

Le Chef de meute s'élança vers son frère d'armes pour le cueillir dans ses larges bras et le soulever du sol. Les deux hommes se firent l'accolade à grands coups de claques dans le dos, se serrant vigoureusement l'épaule, visiblement heureux de se revoir. Les autres Loups déposèrent armes et objets de combat pour se mêler à ces retrouvailles joyeuses et inattendues.

— Toi, ici ? s'exclama Anton en réajustant sa chemise en daim. Mais j'ignorais ta venue ! Le Grand Maître ne m'en a rien dit.

Arkadi esquissa un demi-sourire avant de répondre :

— Il ne t'en a rien dit parce ce qu'il l'ignore, tout simplement. Je ne l'ai pas informé de mes intentions, laissa tomber le sénéchal sans autre préambule.

Anton ouvrit de grands yeux ahuris, tout comme les autres membres de la confrérie. Le silence se fit aussitôt. Tous voulaient entendre la suite de cette surprenante annonce. Cette simple phrase contenait à elle seule tant de choses non dites et soulevait, bien évidemment, une kyrielle de questions.

— Hein ? Mais que dis-tu là, Arkadi ? Il ignore ta venue ? fit Anton en croisant sur sa large poitrine ses bras robustes et musclés.

Son ton se voulait léger, mais en réalité, le Loup appréhendait la réponse de son frère.

— C'est bien cela. Raspoutine ne sait pas que je me trouve à Saint-Pétersbourg. Euh… pardon ! Je devrais plutôt commencer à m'habituer à dire Petrograd. Il ignore que je suis ici. Je ne lui ai pas fait part de ma décision.

— Tu es en train de me dire que tu as quitté le monastère sans attendre sa permission ? s'étonna Anton, cherchant à être bien certain de comprendre les propos insensés du Loup.

Arkadi pencha légèrement la tête sur le côté comme s'il hésitait, tandis qu'un nouveau sourire étirait ses lèvres.

— Tu es réellement idiot ou tu fais semblant de ne pas comprendre ? Je dis que je n'ai même pas envoyé de demande à Raspoutine. Je suis parti sans qu'il le sache ! Tu comprends mieux maintenant ? Il ignore que j'ai quitté le monastère pour venir ici ! lança Arkadi en assenant une grande claque sur l'épaule de son ami, tout en éclatant de rire devant son air ahuri.

Arkadi affichait un certain détachement, mais les Loups, les Louves et les frères lais présents ne s'y trompaient pas. Le ton qu'employait le sénéchal avait quelque chose de grave et de sinistre, malgré la nonchalance qui teintait ses propos.

Anton semblait toujours aussi stupéfait. Il s'efforçait de sourire, mais les plis de son front exprimaient bien plus d'inquiétude et d'incompréhension que d'amusement. Il remarqua que les autres membres de sa communauté les entouraient et qu'ils étaient, eux aussi, médusés par ce que leur apprenait leur sénéchal. Prenant soudain conscience de sa charge, même si elle était temporaire, et de celle d'Arkadi, et devant le sérieux de la chose, il songea avec raison que certains propos ne devaient pas être étalés devant tout le monde. Même si ces Loups et ces Louves offraient leur vie à la confrérie, ils ne devaient pas êtres mêlés aux discordes intestines afin que soit préservée, dans leur esprit, l'intégrité de l'ordre.

— Loups et Louves, dit-il, nous avons terminé pour le moment. Vous pouvez aller prendre votre petit-déjeuner. Nous reprendrons l'entraînement plus tard.

Les membres de la confrérie acquiescèrent en silence, visiblement déçus de recevoir cet ordre qui les empêchait de rester pour écouter la suite du récit du sénéchal. Mais en bons Loups qu'ils étaient, ils obéirent et saluèrent Arkadi d'un signe de tête avant de se diriger dans un même mouvement vers la porte qui menait à la salle à manger. Anton et Arkadi attendirent que le dernier ait quitté la salle en refermant la porte derrière lui. Anton demanda alors à son compagnon d'armes :

— Arkadi, es-tu en train de me dire que tu as quitté Ipatiev sans que Raspoutine soit au courant, sans son autorisation ?

— Oui, c'est exactement ce que je viens de te dire, Anton ! Vas-tu me le demander encore une fois ?

Un silence s'installa entre eux, interrompu par le gazouillis des oiseaux qui nichaient dans les arbres du parc de la commanderie et entraient librement par les fenêtres grandes ouvertes. Les deux Loups se fixaient attentivement, l'un inquiet, l'autre légèrement amusé.

— Je ne comprends rien à ce que tu me dis, Arkadi, s'écria Anton, et je t'avoue très sincèrement que je suis totalement ébahi. Désobéir ainsi ne te ressemble pas, toi, le meilleur d'entre nous. Tu agis à l'opposé de tes propres convictions...

Son ton baissa, comme s'il se passait une réflexion personnelle.

— Remarque, reprit-il, tu as certainement tes raisons et je ne cherche pas à les connaître, mais je suis franchement étonné... Oui, c'est ça, étonné !

Un nouveau silence s'installa avant que le Chef de meute reprenne :

— Le fait que tu aies quitté le monastère sans en avoir reçu l'autorisation pour venir jusqu'ici, cette attitude est si... surprenante... Pourquoi as-tu agi ainsi ? Quelles sont tes motivations, exactement ? demanda tout de même le Loup.

Arkadi plongea son regard foncé dans celui de son frère avant de placer sa main sur son épaule, comme pour établir un contact entre eux.

— Je ne peux rien te dire pour le moment, mais je n'ai pas agi sur un coup de tête, crois-moi... Tu ignores tellement de choses, Anton, et je n'ai pas le temps de te les expliquer ici et maintenant, mais sache que dorénavant, je n'obéis plus à Raspoutine. Je viens de déposer des accusations contre lui auprès du tsar.

Encore une fois, Anton ouvrit de grands yeux. C'était clair, la nouvelle le sidérait. Pour se donner le temps de réfléchir, de bien assimiler ce que venait de lui annoncer le sénéchal, il se dirigea vers l'un des supports sur lequel il rangea l'épée qu'il tenait toujours à la main, en silence et avec lenteur.

Arkadi le suivait des yeux. Il comprenait très bien le malaise de son frère d'armes. L'obéissance était au cœur de leur vie, elle dictait chaque geste des Loups de la communauté, et Arkadi avait toujours été un exemple à suivre, pour les autres comme pour lui.

— Anton, je ne suis pas ici pour tenter de te convaincre de quoi que ce soit, ni d'ailleurs pour te mêler à cette affaire. Je ne cherche pas non plus à me disculper auprès de toi. Je voulais simplement que tu saches ce qui s'est passé avant que la nouvelle ne te parvienne, sans doute déformée. Le temps viendra où tu connaîtras toute l'histoire. Tu pourras alors te faire ta propre opinion sur les événements. Je sais que tu comprendras mes intentions. Pour le moment, je te prie de ne pas chercher à savoir, je ne t'en dirai pas plus. D'ailleurs, tant que l'empereur n'aura pas rendu son verdict, je ne peux rien te dire et l'affaire ne doit pas s'ébruiter.

— C'est donc si grave ? prononça Anton d'une voix blanche en tournant la tête vers le sénéchal.

— Oui, ce l'est. Quoi qu'il en soit, et peu importe les événements qui suivront, cela ne vient en rien entraver la mission des Loups, et tu dois poursuivre ce que tu fais ici, peu importe ce qui se passe à l'intérieur ou à l'extérieur des rangs. La mission est prioritaire comme elle l'a toujours été. Nous ne sommes rien, Anton, que de simples figurants dans quelque chose qui nous dépasse...

Anton opinait de la tête, comme pour approuver ces sages paroles. Songeur, il se mordit les lèvres, signe apparent de l'agitation profonde qui l'animait. Après un moment de réflexion, il leva les yeux vers son ami avant de dire :

— Je te fais confiance, Arkadi. Je sais qui tu es et ce que tu vaux... Je suis avec toi, conclut le Loup en plaquant sa large main sur l'épaule de son frère d'armes.

Le sénéchal plongea son regard sombre dans celui de son ami, visiblement ému par les paroles du Chef de meute, son égal.

— Merci, Anton, merci ! lança Arkadi en serrant son frère dans ses bras.

Anton esquissa un sourire timide. Le sénéchal rajouta aussitôt pour détendre l'atmosphère :

— Bon, trêve de choses sérieuses. Nous aurons bien l'occasion d'y revenir. Je suis ici pour quelques jours, et pour l'heure, mon cher Anton, j'ai des souhaits simples à formuler : prendre un bain, voir mon fils, manger un bon repas et me reposer ! lança le Loup avec un large sourire.

Anton remarqua alors au-dessus de l'arcade sourcilière droite du Loup deux traits roses qui marquaient son front, souvenir indélébile de son agression dans la forêt de Kostroma. À la vue de ces cicatrices, le Chef de meute pressentit que ce triste épisode dans la vie de son frère avait quelque chose à voir avec les événements qui l'avaient mené jusqu'à la capitale impériale. Loin d'être idiot, le Loup ne fut pas long à établir quelques parallèles avec ce que venait de lui dire Arkadi. Bien entendu, il ignorait tout, mais il se doutait maintenant que les événements des derniers mois avaient sans doute un lien avec le Grand Maître de la confrérie, et que c'était là la raison pour laquelle le sénéchal avait décidé de ne plus être sous ses ordres. Pour le moment, toutefois, il jugea préférable de garder pour lui ces réflexions.

— Je peux exaucer trois de ces quatre vœux..., répondit-il enfin dans un sourire. Je vais donner des ordres pour que l'on te fasse préparer un bain chaud et parfumé. Tu devras aussi te raser, rajouta-t-il en se moquant. Tu pourras t'y détendre en toute quiétude. Ensuite, tu te joindras à nous pour le petit-déjeuner ; je vais même demander un petit extra à la cuisine pour l'occasion. Mais pour ce qui est de Viktor, il m'est malheureusement impossible d'accéder à ta demande.

— Et pourquoi donc ? demanda le sénéchal en croisant ses bras sur son large torse tout en défiant son ami du regard.

Son ton se voulait badin, mais Anton ne s'y trompa pas. Les yeux noirs d'Arkadi trahissaient ses appréhensions.

— Raspoutine a intimé à Viktor l'ordre de le rejoindre à Moscou, il est parti hier soir..., laissa tomber Anton non sans regret, sachant pertinemment que la nouvelle allait profondément attrister le sénéchal. Mais j'ignore...

— Hier soir, dis-tu ? À Moscou ? s'écria Arkadi tout en coupant la parole à son frère d'armes.

Le sénéchal serra les poings, son visage se transforma sous l'effet d'une colère qu'il parvenait difficilement à cacher. Anton avait du mal à comprendre la mauvaise humeur qui animait soudain le sénéchal. Il concevait parfaitement qu'Arkadi soit peiné d'apprendre que son fils adoptif était absent alors qu'il était de passage dans la capitale, mais il ne saisissait pas pourquoi il se mettait dans un tel état. La seule explication plausible était que l'ordre venait de Raspoutine. Anton comprit alors que le prieur avait certainement fait venir l'enfant pour contrecarrer les intentions d'Arkadi. Le Grand Maître était donc au courant, malgré tout, de la présence du Loup dans la capitale. Un affrontement se jouait entre eux, mais Anton n'en comprenait pas encore les enjeux.

— Oui, c'est bien cela, hier soir, pour Moscou..., répondit le Chef de meute en opinant de la tête. À vrai dire, ça m'a un peu étonné de recevoir ce télégramme parce que Raspoutine y est depuis plusieurs jours et qu'il n'avait pas été question au départ que Viktor l'y rejoigne. De plus, je venais de commencer son entraînement au sabre. Leur retour est prévu pour après-demain... Je ne comprends pas bien, mais ce n'est pas moi qui décide…

— Et l'ordre est arrivé hier, dis-tu ? poursuivit Arkadi en coupant une deuxième fois la parole à son frère.

— Oui, hier, peu après les exercices du matin... Pourquoi ?

— Non, rien, rien... Je me demandais, c'est tout, répondit Arkadi, tout en tentant de retrouver son calme, mais Anton n'était pas dupe. Je suis simplement très déçu de ne pas pouvoir voir Viktor...

Les yeux du sénéchal exprimaient une telle colère que le Loup en était mal à l'aise, ne sachant quoi faire pour l'aider ni quoi dire.

Les doutes d'Anton se confirmaient de plus en plus. Sans qu'aucune explication ne soit nécessaire, il ressortait clairement de toute cette histoire qu'une guerre venait d'être déclarée entre le sénéchal et le Grand Maître. Un conflit dont il ignorait les raisons et les enjeux, mais dont il devinait toute la portée. Conséquemment, il comprit aussi que les choses allaient changer et que son rôle de meneur au sein de la commanderie allait être maintenu pendant un bon bout de temps encore. Sans se douter des événements futurs mais pressentant de grands bouleversements, Anton Tcherenkov poussa un profond soupir.

Il invita Arkadi à le suivre, jugeant qu'il valait mieux, pour le moment, changer les idées du sénéchal.

Chapitre 3

19 juillet 1914,
Petrograd

La femme attendait au coin de la rue le moment de traverser. La circulation commençait à être plus dense et l'on voyait de plus en plus de voitures circuler dans les rues de la capitale, côtoyant les calèches, les chevaux et le tramway. La Russe devait avoir entre trente-cinq et quarante ans, mais elle était loin de les paraître. Elle conservait encore un visage juvénile et bon enfant, avec ses joues pleines et roses, et ses grands yeux de biche bordés de longs cils foncés. Mais malgré ses airs de mignonnette, on pouvait discerner, lorsque l'on détaillait un peu plus son faciès, une certaine forme d'abattement qui se dégageait de son regard gris-vert. Lorsqu'elle ne souriait pas, les traits de son visage trahissaient une amertume dont le passage du temps et de la vie semblait l'avoir accablée. Vêtue d'un tailleur vert forêt élégant, simple et sans flafla, mais un peu usé, elle affichait une assurance et une fierté visibles à chacun de ses mouvements. Comme si elle était née dans la soie et que la misère avait soudain frappé à sa porte.

Elle marchait avec diligence, du pas rapide de ceux qui savent où ils vont et ce qu'ils ont à faire, en jetant de temps à autre de rapides coups d'œil aux gens qu'elle croisait sur son chemin. Un homme pressé la bouscula de l'épaule, mais elle ne s'en formalisa pas, n'accordant même pas un regard à l'individu qui, lui, se confondit en excuses. La femme poursuivit sa route, résolue, ignorant le brouhaha et les mouvements incessants de la ville et de ses habitants. Arrivée au coin de la rue Vvedenskogo, elle bifurqua à droite sur Zagorodny afin de prendre la direction de la gare Vitebsky.

Les klaxons faisaient entendre leur cri nasillard, tandis que la rumeur de la rue témoignait de l'excitation des citoyens qui, comme elle, se pressaient vers la station ferroviaire. Malgré les tensions qui rythmaient maintenant le quotidien des Russes, certains affectionnaient toujours le tsar et le défendaient même auprès des mauvaises langues. Dans une grande agitation, les alentours de la gare se peuplaient de curieux venus accueillir la famille royale qui rentrait plus tôt que prévu d'un séjour en Crimée.

Ses traditionnelles vacances estivales dans cette région avaient été écourtées pour des raisons d'État. Bien entendu, tout le monde se doutait que ces raisons étaient liées à l'attentat contre l'archiduc François-Ferdinand et sa femme, Sophie de Hohenberg, et aux positions que prenaient l'Autriche-Hongrie et l'Allemagne face à ce crime. Les journaux ne parlaient que de ça, et les nouvelles internationales étaient peu enthousiastes en ce qui concernait les conséquences de ce drame.

Tout en se dirigeant vers la gare, l'inconnue aperçut une autre femme, jeune et belle, qui ajustait le col marin de son fils tout juste âgé de cinq ans. Observant une seconde la scène, elle se passa alors le commentaire que les gens se vêtaient toujours proprement lorsque l'occasion se présentait de croiser Nicolas II et sa famille ; mais le cortège royal en avait-il seulement conscience ? Le peuple, orgueilleux, se parait pour rendre hommage à son monarque, comme pour afficher une prestance que plusieurs n'avaient plus. Les grèves paralysaient le pays depuis trop longtemps maintenant, et le taux de chômage n'avait jamais été aussi élevé.

La Russe ralentit sa cadence pour finalement s'arrêter. La gare se dressait devant elle, magnifique construction classique aux couleurs ocre et blanche. Elle leva les yeux vers la tour qui offrait, sur chacune de ses quatre faces, une horloge richement décorée dont la précision ponctuait la vie des habitants de la capitale: 13 h 12 exactement. Elle regarda sa montre-bracelet pour vérifier si celle-ci était à l'heure.

Elle laissa échapper un léger soupir, ajusta sa mise et serra son petit balluchon* en velours ivoire contre sa hanche, le coude replié sur sa taille fine. Comme si elle se parlait à elle-même et qu'elle se mettait en accord avec ce qu'elle devait faire, elle hocha la tête d'une façon presque imperceptible et se remit en marche. Lorsqu'elle arriva à la hauteur des portes superbement ouvragées de la gare, un homme, qui la précédait, en ouvrit une et l'invita à passer. Elle le remercia d'un sourire aimable, bien qu'elle fût à peine consciente de ce qui l'entourait. Elle semblait agir par réflexe; quelque chose dans sa tenue trahissait un manque de naturel.

Comme la plupart des gens qui se trouvaient là, la femme suivit le mouvement et traversa l'immense hall richement décoré. La gare était bondée. Partout des gens circulaient dans tous les sens, empruntant les allées menant vers les départs, vers les arrivées ou encore vers la salle d'attente où des tableaux mécaniques indiquaient les horaires des trains et leur provenance.

Certains voyageurs, en retard, pressaient le pas en direction des quais où des trains attendaient le signal de départ; d'autres venaient accueillir ceux qui arrivaient. La femme observait ces scènes de retrouvailles ou d'adieux d'un air plutôt détaché. Toujours entourée d'une multitude de gens, elle parcourut plusieurs mètres en leur compagnie jusqu'à une double porte, haute et vitrée, surmontée d'un sceau représentant un aigle à deux têtes, le symbole des Romanov. Ces portes s'ouvraient sur un long passage qui, lui, conduisait à la station personnelle du tsar, non loin des quais réservés à la population. C'était là, dans cette gare privée, que l'empereur, sa famille et ceux qui les accompagnaient débarqueraient.

Parmi les curieux qui s'étaient déplacés pour assister à l'arrivée de la famille Romanov, elle reconnut la femme qu'elle avait vue avant de pénétrer dans la station quelques instants plus tôt. Son visage se rembrunit tandis que son regard glissa vers l'enfant en tenue de matelot qui ouvrait de grands yeux ronds, contemplant, fasciné, les lieux et l'agitation qui y régnait. Elle s'apprêtait à s'approcher de la mère et de son bambin lorsqu'une main lui saisit le bras avec fermeté. Elle tourna vivement la tête, le regard alarmé, quand elle aperçut le visage d'un homme. Celui-ci la retenait avec force. Leurs yeux s'affrontèrent un court instant, à peine une seconde, et sans un mot, mais dans une parfaite résignation, elle baissa la tête, soumise. L'homme s'éloigna aussitôt d'elle pour se fondre parmi les gens. L'échange entre eux deux avait duré à peine trois ou quatre secondes, et quiconque les aurait observés n'aurait vu dans cette scène qu'un aparté poli entre deux personnes, un homme et une femme, l'un ayant percuté l'autre et lui offrant ses plus sincères excuses. Rien ne laissait deviner que ces deux êtres se connaissaient, et nul n'aurait pu déceler dans ce dialogue muet la menace sous-jacente de ce bref échange.

L'inconnue demeura un instant la tête baissée, les yeux rivés sur ses chaussures de cuir marron. Mais le mouvement de la foule la tira de ses songes. On venait de la bousculer, et ce contact la ramena à la réalité. Elle regarda autour d'elle avant de se remettre en marche.

Plus loin, la garde impériale, débordée, ordonnait aux curieux de se déplacer, dégageant ainsi un large corridor. Des cordons de sécurité furent tendus, et des hommes armés se positionnèrent tous les deux mètres. La sécurité se mettait en place, le train ne devrait plus tarder. La femme porta son regard gris-vert en direction de l'horloge suspendue juste au-dessus de l'entrée : 13 h 32. L'arrivée du cortège impérial était prévue pour 13 h 55. Une vingtaine de minutes encore à attendre.

Les gens tout autour d'elle discutaient bruyamment. Les sujets de conversation portaient tous sur les tensions mondiales, sur l'assassinat de l'archiduc, sur le taux de chômage trop élevé qui affligeait le pays et sur les conflits secouant la Russie. Évidemment, les avis étaient majoritairement en faveur des décisions de Nicolas II. Un couple tout près d'elle, particulièrement le mari, critiquait ouvertement les agissements de ce Lénine qui soulevait de fortes contestations un peu partout dans le pays. L'homme âgé d'une cinquantaine d'années se pencha vers sa femme pour lui dire sur le ton de la confidence, comme pour la rassurer, que le pays n'avait rien à craindre de ce genre d'individu qu'il traitait d'agitateur, et que dès qu'il dérangerait réellement Nicolas II, il disparaîtrait aussitôt et l'on n'en entendrait plus jamais parler. Tant d'autres, avant lui, avaient déclamé de tels discours ! Où se trouvaient-ils aujourd'hui, ces anarchistes ? Pour appuyer ses paroles, il posa sa main sur l'épaule de sa femme avant de sourire.

— Ce n'est qu'un idéaliste, conclut-il, un idéaliste qui met de drôles d'histoires dans la tête des esprits faibles ! Nous n'avons rien à craindre, croyez-moi, ma mie...

À ce moment-là, le regard de l'homme se porta vers l'inconnue qui les écoutait et à qui il sourit.

— Les révolutionnaires, poursuivit-il tout en continuant de la fixer, ne sont pas dangereux, ce ne sont que des agitateurs, et ils ont été de toutes les époques. Pierre le Grand* en a bien connu, de ce genre d'individus, et croyez-moi, il a su les mater ! Un grand monarque... Un grand monarque..., répéta-t-il en levant son index droit au nez de son épouse.

La femme tourna la tête pour regarder ailleurs. Une ombre de révolte traversa ses yeux.

Au même moment, le sifflement long et aigu d'un train se fit entendre. Un mouvement nerveux de la foule accompagna aussitôt le signal annonçant l'approche du convoi, tandis que les gardes affirmaient leurs positions.

L'inconnue balaya d'un regard inquiet la foule oppressante, détaillant les visages à la recherche de quelque chose ou de quelqu'un, lorsqu'elle l'aperçut enfin.

L'individu qui l'avait accostée plusieurs minutes auparavant se trouvait de l'autre côté de l'espace délimité par les cordons de sécurité. Elle devina qu'il la fixait avec attention depuis un bon moment déjà. Ses yeux, malgré la distance qui les séparait, exprimaient une grande sévérité, et la femme comprit qu'elle devait se calmer et prendre sur elle. Son manque de naturel révélait sa nervosité et cela pouvait la trahir ; elle devait se contrôler, voilà ce que lui disait le regard austère de l'homme qui se trouvait à quelques mètres d'elle. Ils semblaient communiquer par le regard, et leur silence en disait bien plus long que ne l'auraient fait n'importe quelles paroles. Ils se comprenaient parfaitement, semblant jouer une scène longuement répétée.

Un spasme de la foule obligea la femme à se déplacer sur sa gauche et elle se retrouva coude à coude avec un des gardes armés. Leurs yeux se croisèrent, mais le regard implacable du garde se radoucit en apercevant la jolie femme qui venait de le bousculer. Elle s'empressa de lui sourire tout en se laissant charrier par la foule qui continuait de se presser autour d'elle. Les gens tentaient de gagner du terrain, centimètre par centimètre, sur l'espace qui les séparait de la plate-forme où Nicolas II, la tsarine Alexandra et leurs enfants débarqueraient du train.

L'inconnu suivait le mouvement de la foule avec intérêt, tandis que la femme, de son côté, tentait avec difficulté de se faufiler afin de retrouver sa place initiale.

Leurs yeux se joignirent une nouvelle fois et leurs regards demeurèrent soudés l'un à l'autre pendant quelques secondes, attentifs aux moindres signes et indifférents à l'empressement de la masse autour d'eux.

Une rumeur s'éleva au-dessus du bruissement de la foule, engendrant aussitôt une fébrilité de plus en plus palpable. Les cous se dressaient et les têtes se tournaient de tous les côtés. On cherchait à apercevoir l'arrivée du convoi impérial. Un père hissa sa fillette sur ses épaules. La garde s'agitait, elle aussi, resserrant les rangs. En retrait sur la gauche, un ordre claqua, mais sembla se perdre dans le brouhaha toujours plus assourdissant. Le chef de la garde impériale, Kourine Ludomir, qui se tenait au milieu d'une série de marches montant vers une mezzanine qui surplombait le débarcadère, leva le bras pour signaler sa volonté à ses hommes. Ses francs-tireurs exécutèrent son ordre dans un mouvement parfaitement coordonné. Leur fusil de trois lignes parallèle aux épaules, les jambes légèrement écartées, leurs coudes se touchant presque, les gardes firent face aux citoyens, formant ainsi une imposante barrière humaine.

Au même moment, un nouveau sifflement aigu annonça l'entrée du train en gare. Un épais nuage de vapeur le précéda et engloba tous les intéressés qui se trouvaient là, lorsque enfin les premiers curieux entrevirent la locomotive de tête qui se détachait de ce dense nuage blanc.

L'homme tourna vivement sa figure vers la femme qui le fixait toujours aussi intensément. Leurs regards se perdirent l'un dans l'autre une fraction de seconde, puis l'inconnu hocha imperceptiblement la tête. La femme lui répondit du même bref signal lorsque soudain son front se plissa d'inquiétude. Près de son compagnon, un rapide mouvement se produisit, quelque chose de furtif. Là, devant ses yeux ébahis, la femme vit l'homme se dérober totalement à sa vue, comme par enchantement. L'inconnu venait tout simplement de se volatiliser, de disparaître. Son regard gris-vert s'alarma, fouillant nerveusement la foule à la recherche de son complice. Quelque chose d'anormal se passait, elle le devinait, et l'on put voir l'affolement transformer son visage aux traits juvéniles. Pourtant, les gens qui l'entouraient demeuraient les mêmes, personne ne semblait s'énerver ; elle paraissait être la seule à s'être aperçue que l'homme avait disparu, avalé justement par cette masse qui l'enveloppait.

Une sourde angoisse lui empoigna l'estomac, la mettant soudainement en garde. La femme perçut alors à côté d'elle un mouvement. Son sixième sens en alerte, elle pressentit quelque chose d'inhabituel dans l'air, tout près d'elle, trop près d'elle. Une présence autre que celle des curieux qui se massaient tout autour d'elle sur le quai. Elle jeta un rapide coup d'œil à la ronde, mais personne ne paraissait hostile, d'ailleurs personne ne la regardait ni ne semblait réellement la voir. Toutes les têtes étaient tournées vers le train qui faisait son entrée, précédé de l'épais nuage blanc qui continuait d'envahir le quai.

La locomotive s'immobilisa enfin et le temps sembla se suspendre de longues secondes. La vapeur commençait à se dissiper. Enfin, une porte s'ouvrit. La foule fit alors silence. Quelque part dans la station ferroviaire, les pleurs d'un bébé se firent entendre. Tous les yeux étaient fixés sur l'ouverture lorsqu'un homme finit par apparaître, se détachant de la noirceur du compartiment de tête, décoré aux armes des Romanov. L'homme dont on ne distinguait pas encore les traits descendit les trois échelons du marchepied avant de s'immobiliser sur le quai. C'était le docteur Ievgueni Botkine*, médecin personnel de Nicolas II. Une ombre le suivait juste derrière. Il ne suffit que d'une seconde avant que la masse de gens réunis sur le quai ne reconnaisse son empereur et se mette à l'acclamer à grands cris et à l'applaudir. Quelque part dans le hall, une musique de bienvenue, qui jouait en sourdine depuis un moment, s'éleva pour rythmer en cadence les vivats de la foule.

La femme, de plus en plus nerveuse, inspira profondément avant de tenter de combler la distance qui la séparait de Nicolas II. La foule était dense, et la mystérieuse inconnue peinait à se frayer un chemin. Le tsar saluait les gens qui se pressaient autour de lui malgré les efforts soutenus de la garde pour les maintenir en retrait. Une fièvre avait gagné la foule qui se bousculait de plus en plus. L'inconnue parvenait difficilement à contrôler son angoisse. Elle glissa la main dans son petit balluchon qu'elle venait d'ouvrir. Elle se trouvait à moins de cinq pas de l'empereur, juste derrière un des gardes, celui-là même qui lui avait souri quelques instants auparavant. Elle sortit lentement, la main hésitante, un minuscule revolver de son sac, mais avant qu'elle ne le pointe sur le monarque, avant qu'elle ne parvienne à parcourir la mince distance qui le séparait d'elle, elle sentit soudain une vive douleur lui vriller la tête. Elle porta sa main libre à sa tempe gauche qu'elle frotta vigoureusement du bout de ses doigts. Son regard gris-vert se durcit et ses sourcils se froncèrent sous la douleur. Sans comprendre ce qui lui arrivait, l'inconnue réalisa qu'elle ne parvenait plus à bouger ni même à penser. Son corps et son esprit s'engourdissaient. Nicolas II fit un mouvement dans sa direction, ce qui eut pour effet de ranimer un peu ses sens et, du même coup, ses intentions. Elle pressentit alors toute l'urgence de la situation et surtout sa gravité. Elle devait agir, et vite. Dans un ultime effort, elle tenta de lever le bras pour mettre le tsar en joue, mais elle était incapable de maîtriser les tremblements de sa main. Des larmes se mirent à rouler sur ses joues.

Sans rien comprendre à ce qui lui arrivait, interdite par sa propre incapacité à réagir, l'intrigante sentit alors une main la saisir fermement par la taille, tandis qu'une autre la désarmait.

Son esprit était paralysé, elle ne parvenait pas à résister. Deux hommes la tenaient avec fermeté, et elle était impuissante. Sans pouvoir se défendre ni même protester, elle se laissa manœuvrer par ces inconnus avec la docilité d'un agneau. Une grande faiblesse l'envahissait de plus en plus, neutralisant toute sa volonté.

— Hé ! Mais que se passe-t-il, que faites-vous là ? s'écria un homme arborant une spectaculaire moustache qui se tenait près d'elle et qui cherchait à lui venir en aide en voyant soudain cette splendide femme s'affaiblir entre les mains de ces deux mystérieux étrangers.

Ignorant totalement ce qui se passait, le moustachu devinait néanmoins que ces inconnus entièrement vêtus de noir cherchaient à entraîner la dame à leur suite. Mais l'un d'eux vrilla aussitôt son regard dans celui du bon samaritain. L'homme à la moustache et celui vêtu de noir s'affrontèrent ainsi à peine une seconde, puis le bienfaiteur détourna les yeux vers le centre d'intérêt qui liait tous ces gens : Nicolas II. Comme s'il ne s'était rien passé, il se mit aussitôt à applaudir le tsar tout en criant des hourras retentissants, oubliant totalement ce dont il venait d'être témoin.

Les deux Loups entraînèrent la femme hors de la foule qui se refermait déjà sur leur passage, indifférente à la détresse de l'inconnue et aux regards sombres des deux hommes qui la serraient de très près. Deux autres hommes, également vêtus de noir de la tête aux pieds, entourèrent l'étrange trio, puis tous les cinq disparurent totalement. La scène, presque imperceptible, s'était déroulée rapidement — à peine quelques secondes — et dans une discrétion complète.

La foule acclamait son tsar, et Nicolas II tendait la main vers le marchepied sur lequel l'impératrice Alexandra* venait de poser le pied. Une fine main gantée joignit celle de l'empereur sous le regard heureux des Russes présents. La famille Romanov était accueillie avec enthousiasme par ceux qui lui restaient fidèles, tandis que les membres de la Confrérie des Loups engouffraient l'intrigante dans une Hotchkiss à quatre portes à conduite intérieure prête à démarrer. Deux magnifiques voitures noires du même modèle, des Torpedos*, quittèrent aussitôt la gare l'une derrière l'autre. Dans la deuxième se trouvait bâillonné et inconscient le complice de la femme.

La criminelle et son compère, qui était en réalité un ami et partisan de Lénine, avaient mis sur pied cette tentative d'assassinat contre Nicolas II bien des semaines auparavant. C'est elle, Tatiana Lourinov, qui avait tout combiné dans les moindres détails, mais elle avait omis de prévoir dans son plan la présence efficace des Loups, puisqu'elle ignorait, comme tout le monde d'ailleurs, leur existence. Sa volonté de tuer le tsar de ses propres mains venait de la déchéance et de l'injure qu'avait subies sa famille à cause de l'empereur. Son père, un industriel du textile et intellectuel à ses heures, avait à plusieurs reprises écrit des articles belliqueux sur la domination abusive de l'*Okhrana*. Dans ses diatribes, il accusait ouvertement le tsar de chercher à faire taire les intellectuels et les penseurs de Russie. Il n'hésitait pas à dire que certains avaient été carrément exécutés ou pourrissaient dans des prisons, oubliés de tous et surtout de la bureaucratie. Il avait mystérieusement disparu un beau matin d'hiver alors qu'il se rendait à son usine et jamais, depuis, ni sa fille ni personne ne l'avaient revu. Les amis de Lénine et du Parti ouvrier social-démocrate ne furent pas longs à accuser la police de Nicolas II d'avoir fait taire l'industriel, et à taxer le gouvernement de tyrannie. À partir de ce jour, la mère, le frère et la sœur de la vengeresse sombrèrent dans la misère, allant jusqu'à perdre l'usine paternelle et se retrouvant presque à la rue. La femme n'avait eu d'autre désir que celui de venger sa famille et son père, au risque de se perdre elle-même.

Dans une partie sombre de la mezzanine qui surplombait le quai, Raspoutine observait la scène avec attention. Il savait qui était cette femme, et il connaissait parfaitement les raisons l'ayant menée à commettre ce geste pour lequel elle serait évidemment condamnée à mort, ainsi que son complice. Elle allait disparaître, elle aussi, et jamais sa famille ne connaîtrait la vérité, c'était ainsi. Mais cela n'avait pas vraiment d'importance pour lui ; cette femme n'existait pas à ses yeux, et la cause qu'elle défendait encore moins.

— Voilà qui est fait, dit-il simplement à Viktor, qui venait lui aussi d'assister à la mise en échec d'un nouveau crime contre l'empereur de toutes les Russies. Un nouvel attentat vient d'être évité, grâce au ciel. Comme tu peux le constater, même la garde a été mystifiée, elle n'a rien vu de ce qui se déroulait pourtant devant ses yeux... N'est-ce pas là une démonstration probante de l'efficacité des Loups, Viktor ? Contrairement à la garde impériale et à la police secrète du tsar, nous savions ce qu'allait faire cette femme et quand, et nous avons agi avec efficacité et discrétion. Tu comprends que plus il y a de monde, plus il est facile de passer inaperçu... Retiens ça. L'évidence est parfois la meilleure des tromperies, on ne doute pas d'elle... La garde du tsar est très efficace, mais elle manque de flair, dit le magistère en tapotant son nez de son index gauche. Elle ne cherche pas les détails, mais plutôt les évidences ; elle veut des faits concrets, des certitudes... Si nous n'avions pas été là, le tsar aurait peut-être été mortellement touché. Le temps que les gardes aperçoivent cette charmante femme vêtue avec élégance et très comme il faut, et la voient brandir son arme en direction de l'empereur et faire feu, il aurait été trop tard. Dis-moi, Viktor, pourquoi? Pourquoi la police de Nicolas II n'a-t-elle pas vu cette inconnue avant nous, alors qu'elle tenait son arme à la main et qu'elle la braquait déjà sur le tsar au moment où nous sommes intervenus? Pourquoi?

Raspoutine marqua un temps, le regard toujours dirigé vers les mouvements qui se déroulaient sous eux. Nicolas II serrait quelques mains et réconfortait quelques âmes, tandis que la garde impériale, menée par Kourine Ludomir, l'entraînait avec sa famille vers la sortie.

Viktor réfléchissait à ce que venait de dire le Grand Maître et aux événements qui s'étaient produits.

— Dans un premier temps, les hommes de Ludomir n'ont pas les mêmes aptitudes que nous. Ils ne perçoivent pas ce qui, pour nous, est évident. Ensuite, ils n'ont pas nos informateurs et n'ont pas non plus infiltré divers groupuscules pour les espionner de l'intérieur, et enfin, cette femme était jolie et ne ressemblait en rien à un assassin! Elle ne semblait pas représenter une menace, affirma le Jeune Loup avec conviction.

Le Grand Maître opina doucement de la tête en signe d'appréciation, sans toutefois quitter des yeux ce qui se déroulait sous eux.

— Bravo, Viktor, bonnes observations. Tu as tout compris. Tes deux premiers points sont rigoureusement exacts, et le dernier sur la beauté est malheureusement une bien triste réalité. La beauté peut très souvent mystifier les hommes. Ici, les gardes ne voyaient qu'une jolie femme, et pourtant elle était plus menaçante à elle seule que ces terroristes qui tentent d'éliminer le tsar à l'aide de bombes artisanales. Elle se trouvait à seulement quelques pas de lui. Pourtant, Viktor, l'histoire est truffée d'exemples de ce genre, où la beauté sert à porter, en plein cœur, le coup mortel à un adversaire. Une belle femme ou encore un bel homme peuvent être une arme de choix pour atteindre son opposant, quel qu'il soit. L'homme n'apprend pas de ses erreurs, et encore moins de l'histoire passée..., conclut le prieur en baissant le ton.

Le garçon porta ses yeux bleu ciel vers le Grand Maître, et celui-ci y décela pour la première fois une certaine admiration. Le jeune homme démontrait enfin de l'estime pour lui. Ce constat anima le moine d'une profonde satisfaction. Depuis toutes ces semaines que le garçon vivait à ses côtés, c'était la première fois que Raspoutine ne ressentait pas chez lui de l'animosité à son égard. Car contrairement à ce que Viktor pensait, le moine lisait en lui comme dans un livre ouvert, et ce, depuis la minute où il avait mis le pied dans la capitale.

D'ailleurs, les tentatives du jeune pour fermer son esprit au magistère faisaient beaucoup rire ce dernier qui, toutefois, se gardait bien de le lui dire. Il voyait dans cette détermination à ne pas se laisser manipuler une grande force qu'il respectait entièrement. Viktor était un des rares à oser se braquer contre lui, contre son autorité, et pour cela, le moine l'estimait. Viktor, adulte, serait un adversaire de taille, et Raspoutine espérait bien parvenir à se faire aimer du garçon avant que celui-ci ne comprenne ses réelles intentions et ne cherche à contrecarrer ses plans. Il n'avait donc pas tenté de manipuler les pensées de Viktor, la chose aurait été trop simple. Non. Le magistère ambitionnait plutôt de faire naître chez le Jeune Loup quelque chose qui ressemblerait à de l'estime ou à de l'admiration, croyant avec raison que ce sentiment serait plus solide et plus fort. Et là, maintenant, Viktor venait de le regarder avec un respect presque teinté d'enthousiasme, et Raspoutine en fut grandement satisfait.

Le Grand Maître passa sa longue main dans les cheveux ébouriffés du jeune homme avant de l'entraîner à sa suite.

— Rentrons, nous n'avons plus rien à faire ici, clama-t-il.

Chapitre 4

Petrograd, 20 juillet 1914, palais d'Hiver

Le président de la République française, Raymond Poincaré*, se tenait debout devant une immense toile représentant l'étonnante Catherine II*, impératrice de Russie, que l'on surnommait aussi la Grande Catherine. Personnage tout aussi flamboyant que démesuré de l'histoire de ce grand pays, la tsarine au regard figé pour l'éternité observait le visiteur d'un air condescendant. Il semblait très absorbé dans la contemplation du tableau, presque subjugué même, au point qu'il n'entendit pas le tsar entrer dans le salon privé.

Nicolas II détailla un instant celui qui lui tournait le dos. De stature imposante et droit comme un I, l'homme dégageait, même ainsi tourné, une certaine assurance et une forte personnalité, ce qui avait toujours plu à l'empereur. Ils s'étaient plusieurs fois rencontrés au cours des dernières années, mais leurs liens s'étaient consolidés depuis l'élection de cet imposant personnage à la présidence française. Il se racla bruyamment la gorge dans le but d'informer son visiteur de sa présence.

L'homme se retourna aussitôt d'un geste leste, la main suspendue en l'air tenant toujours son monocle à la hauteur de son œil droit. Dès qu'il aperçut le tsar, le président afficha aussitôt une mine réjouie. Il glissa son lorgnon dans le gousset de sa veste avant de s'avancer vers l'empereur de toutes les Russies en ouvrant chaleureusement les bras.

— Cher ami ! s'écria le président en enserrant de ses larges paluches la main tendue de l'empereur, qu'il empoigna avec une franche honnêteté.

Nicolas II ne put retenir un sourire devant le côté bon enfant de ce personnage fort sympathique.

— Soyez le bienvenu, Raymond, lança Nicolas II dans un français parfait. Je suis heureux de vous recevoir ici, dans ma Russie natale. C'est un grand honneur.

— Merci, merci. Il me tardait de contempler votre magnifique et si majestueux pays que j'aimerais aussi découvrir l'hiver. Il paraît que vos paysages sont extraordinaires et que la neige y est fort impressionnante...

— Oui, et le froid tout autant ! rétorqua le monarque dans un rire.

— Oui, oui, le froid... bien sûr ! concéda le visiteur en souriant. On imagine mal ce que c'est quand on ne connaît pas ! Nous avons de la neige en France et il fait froid dans nos montagnes, mais rien en comparaison avec vos hivers ! Mais cela peut aussi s'avérer un avantage important. Nous n'avons qu'à songer à la défaite de Napoléon, lança le président en faisant référence à la bataille de Bonaparte[1] contre le tsar Alexandre 1er.

L'empereur fit une grimace, comme si les paroles de son hôte le projetaient dans une autre réalité.

— Oui, cette fameuse bataille... L'hiver fut effectivement un allié de taille pour mon ancêtre, et sans ce froid, qui sait, la Russie serait peut-être française ! lança le monarque dans un sourire qui ne dura pas cependant. Cela, mon cher ami, me renvoie bien malheureusement à ce conflit qui se trouve presque à nos portes. C'est d'ailleurs la raison qui vous mène ici, n'est-ce pas, Raymond ? Nous savons tous deux que vos motivations pour l'heure ne sont pas d'ordre touristique.

— Comme vous dites, comme vous dites... J'aurais préféré effectivement que cette visite en soit une de courtoisie, croyez-moi !

---

1. Voir tome 3, *La loyauté et la foi.*

Le visage avenant de Poincaré s'était quelque peu rembruni.

— Je crains, mon cher Raymond, que vous ne deviez remettre à plus tard vos projets de vacances, lança le tsar en esquissant un demi-sourire.

Les deux hommes d'État, malgré les dires de leurs attachés politiques respectifs selon lesquels cette rencontre n'avait rien d'officiel, connaissaient pertinemment les raisons sous-jacentes qui avaient motivé celle-ci. Elles n'avaient pas été mentionnées lors de la demande d'audience, mais elles étaient évidentes pour tout le monde.

— Oui... En effet, en effet ! admit le président français qui avait l'habitude de faire des anaphores*, répétant les mêmes mots presque à chaque début de phrase.

D'un geste de la main, Nicolas II invita son homologue à s'asseoir avant de se diriger vers un guéridon où se trouvait un plateau d'argent sur lequel étaient posés des verres et quelques bouteilles de cristal au contenu incolore ou ambré.

— Je vous sers quelque chose ?

— Je prendrai la même chose que vous.

— Alors, nous avons ici une Poire Williams, du brandy de marc et de la vodka... Brandy ?

Poincaré accepta d'un signe de tête.

— Je vous écoute, dit simplement Nicolas II en lui tendant son verre avant de prendre place à son tour dans un des confortables fauteuils qui faisaient face à l'homme d'État. Il est temps de passer aux choses sérieuses, conclut-il en attendant que l'autre s'explique.

Le salon était décoré de couleurs sombres et tapissé de riches tentures confectionnées dans de lourds tissus, offrant ainsi aux visiteurs une impression d'intimité et de calme invitant à la confidence. Pendant un instant, on en oubliait presque les troubles qui secouaient aussi bien la Russie que le reste de l'Europe. Le monde extérieur vibrait de vives tensions, et il ne fallait pas être devin pour comprendre que tout cela allait exploser d'un moment à l'autre. Le tsar avait dû écourter ses vacances en Crimée pour rentrer dans la capitale à la demande de son homologue français. La situation politique européenne avait évidemment préséance sur les moments de détente de la famille impériale. La situation avait exigé le retour immédiat de l'empereur à ses fonctions.

— Bien évidemment, vous vous doutez des vraies raisons de ma visite ! lança le Français en guise de préambule, sans pour autant attendre de réponse de son hôte. Je suis venu non seulement en tant que chef d'État, mais également en ami, pour vous entretenir de l'attentat contre l'archiduc François-Ferdinand en Serbie, qui a eu lieu il y a quelque temps. C'est le sujet de l'heure, l'Europe entière est préoccupée par ce drame. Nous devinons tous que cette tragédie est l'étincelle qui va enflammer les passions, et que l'Autriche-Hongrie n'attendait que cela pour déclarer les hostilités au royaume de Serbie. Je crains que nous n'apprenions dans les jours à venir que la guerre a été déclarée entre ces deux pays.

— Oui, la volonté de l'Autriche-Hongrie d'étendre ses frontières en indexant la Serbie est la principale cause des tensions entre ces deux empires, et cet attentat représente effectivement l'élément déclencheur d'oppositions plus graves. L'occasion est trop belle et, comme vous le dites, l'Autriche-Hongrie attend cette opportunité depuis longtemps.

— Vous êtes au courant de l'ultimatum lancé par l'Autriche, bien entendu ? demanda Poincaré.

— Quarante-huit heures pour y répondre et une soumission totale, répondit le tsar. En tant qu'alliés de la Serbie, nous avons exigé un délai plus raisonnable, mais l'Autriche fait la sourde oreille.

— Il n'y a rien de surprenant là-dedans. L'Autriche-Hongrie ne répondra pas puisqu'elle n'a pas l'intention de changer quoi que ce soit. C'est d'ailleurs pour cela que la France suppose qu'elle attaquera très bientôt. En agissant rapidement, l'Autriche-Hongrie peut prétendre ne pas avoir reçu de mise en garde des pays alliés.

Nicolas II croisa les jambes.

— Pour être honnête avec vous, cher Raymond, nous ne cherchons pas à défendre l'honneur du royaume serbe en exigeant un délai plus raisonnable, mais plutôt à empêcher que celui-ci ne tombe sous l'autorité autrichienne. Nos intérêts dans cette affaire relèvent uniquement des bons rapports que nous entretenons avec la Serbie et que nous tenterons de maintenir autant que faire se peut, expliqua-t-il en faisant tourner dans son verre sa liqueur qu'il fixait des yeux.

— Oui, oui... Bien entendu, laissa tomber le président avant de marquer un temps. Étant donné que nous savons tous les deux que la guerre entre l'Autriche-Hongrie et le royaume de Serbie est inévitable, nous devons, mon cher Nicolas, établir nos propres accords avant que cette déclaration de guerre ne soit officielle, ce qui ne devrait pas tarder à mon sens. Car si le conflit éclate, l'Allemagne suivra, ainsi que l'Italie, qui forment avec l'Autriche-Hongrie la Triple Alliance. Dès lors, le conflit risque de dégénérer rapidement.

— L'Allemagne nous a déjà signalé que notre soutien à la Serbie nous plaçait comme ennemi de l'Autriche et de l'empire allemand.

Le président français fit une moue, signifiant ainsi qu'il s'agissait là d'un fait évident.

— Et vous, Raymond, vous désirez, bien sûr, connaître la position que prendra la Russie dans cette histoire ?

— Évidemment ! La France doit pouvoir compter sur ses alliés si elle est menacée, tout comme vous d'ailleurs. L'Allemagne, qui soutient l'Autriche-Hongrie, déclarera à son tour la guerre à la Russie puisque vous appuyez la Serbie, fit Poincaré avant de marquer une pause. Serez-vous de notre côté, serez-vous notre allié ? finit-il par demander en fixant attentivement le monarque.

Le tsar ne répondit pas tout de suite. Il prit une gorgée de sa liqueur avant de lisser sa moustache avec soin, signe qu'il réfléchissait. Poincaré attendait en silence, attentif aux façons de l'empereur, tentant d'en percer les secrets, de deviner ses pensées. Il comprenait parfaitement que le monarque hésitât et qu'il prît son temps pour réfléchir. Il concevait que les minutes de silence qui s'écoulaient entre eux étaient cruciales pour ce qui allait suivre, même s'il ne faisait aucun doute que Nicolas II s'était déjà fait une opinion sur le sujet. Même arrêtées, de telles décisions demandaient d'être exprimées avec lenteur et doigté. Pour paraître réfléchies, elles ne devaient pas être dites avec précipitation.

De son côté, l'empereur de Russie n'était en rien surpris de la question du président français. Il avait eu, au courant de la matinée, une rencontre avec ses ministres dans le but de faire un bilan de ce qui se déroulait en Europe ; les discussions avaient été vives, et les opinions, très divergentes. Son ministre Witte lui avait recommandé avec insistance de ne pas lancer la Russie dans une autre guerre. Selon lui, l'armée russe n'était pas prête à entrer dans un nouveau conflit, surtout contre ses adversaires de la Triple Alliance. Mais contre toute attente, Nicolas II avait néanmoins ordonné d'amorcer la mobilisation de ses troupes. L'empereur avait répliqué qu'il ne cherchait pas à défendre l'honneur du royaume de Serbie, mais plutôt à empêcher que ce dernier ne tombe sous l'autorité autrichienne. Les liens établis entre les deux pays offraient des avantages que la Russie ne voulait pas perdre.

De plus — mais ça, il se garda bien de le dire —, il entrevoyait dans ce conflit et dans cette alliance que lui proposait maintenant le président français l'occasion d'établir une coalition avec un peuple qui ne croyait plus en lui. En dirigeant les Russes vers un objectif commun, vers une même grande pensée patriotique, il espérait faire renaître chez eux la fierté de faire partie d'un empire dirigé par un autocrate qui faisait front devant l'ennemi. Un homme qui savait se tenir debout, un empereur fort.

— La Grande-Bretagne signera-t-elle, elle aussi, cet accord? demanda enfin le tsar.

— Je rencontre le premier ministre Asquith* après-demain, mais je peux déjà vous assurer de son appui. Cette rencontre n'est qu'une simple formalité, je connais les opinions de l'empire britannique sur ce conflit.

— Hmm, hmmm! se contenta de répondre Nicolas II en reprenant une gorgée de son brandy. Et, bien entendu, vous savez que si nous faisons front, l'Europe entière entrera en guerre?

— Avons-nous d'autre choix? demanda Raymond Poincaré. Le conflit est latent.

Nicolas II répondit par la négative, comprenant exactement ce que voulait dire son visiteur. Non, rien ne pouvait plus empêcher ce qui allait se passer. Les tensions étaient trop fortes pour être désamorcées.

Un temps passa avant que ne demande l'empereur de Russie:

— Dites-moi, Raymond, votre désir de contrecarrer les plans de l'Autriche-Hongrie vise-t-il aussi l'Allemagne? Ce coup que vous vous apprêtez à porter, bien qu'indirect, n'est-il pas le résultat de la perte de l'Alsace-Lorraine*? La France ne voit-elle pas là l'occasion de se venger et, peut-être, de reprendre ce qui lui a été pris par le passé? demanda l'empereur de Russie en plissant les yeux, l'air un peu taquin.

Cette fois, c'est Poincaré qui devint silencieux.

— Peut-être... peut-être y a-t-il un peu de ça aussi, mais nous devons établir notre position face à cette évidente menace qui met en danger l'Europe tout entière. Ce n'est un secret pour personne que l'Allemagne cherche à affirmer sa suprématie. Et bien entendu, si nous pouvons reprendre cette région en passant, nous n'hésiterons pas!

Nicolas II afficha un demi-sourire, satisfait de la réponse honnête de son homologue.

— Alors la Russie sera à vos côtés, conclut-il en levant son verre.

Le président français l'imita, scellant ainsi l'entente qui allait les conduire à un triple accord avec l'Angleterre. La riposte se préparait déjà, alors que les opposants n'avaient pas encore porté le premier coup.

Cabinet privé de Nicolas II, Petrograd

— Je demande à Votre Majesté la permission de parler sans détour, demanda le ministre Piotr Davidovitch en saluant respectueusement, comme il se doit, l'empereur qui était assis à son bureau.

— Donnez-moi une minute que je termine cette lettre, répondit le monarque sans lever les yeux de son courrier.

Nicolas II venait de s'adresser à son ministre en parlant de lui-même au singulier, ce qui signifiait qu'il était prêt à l'écouter et que leur conversation se déroulerait en toute simplicité, sans protocole.

Le ministre acquiesça de la tête, même si Nicolas II ne le regardait pas, et il patienta le temps qu'il fallut à l'empereur pour achever sa correspondance. Pour faire comprendre à son visiteur qu'il était enfin prêt à écouter, le monarque déposa son stylo dans un boîtier d'ébène et de bois de citronnier qui se trouvait en face de lui. Il croisa les mains en nouant ses doigts ensemble.

— Je vous écoute, Davidovitch, et je vous invite, bien entendu, à me parler ouvertement. Nous nous connaissons depuis trop longtemps pour ne pas nous dire ce que nous pensons en toute honnêteté.

Il fallait se méfier de ce genre d'invitation des monarques qui, en réalité, n'était pas toujours aussi bienveillante qu'il y paraissait. Un monarque demeurait un monarque, même s'il prétendait le contraire. Surtout, jamais un souverain n'était réellement heureux lorsqu'on lui disait qu'il avait tort!

— Votre Majesté, répondit le conseiller en avançant d'un pas, ce que j'ai à vous dire risque de vous déplaire, mais j'en appelle à notre longue collaboration, à la confiance que je vous inspire et à l'amour que vous portez à la Russie. J'en appelle également à votre clémence légendaire et à votre souci toujours grandissant de voir la Russie être considérée comme l'un des plus grands empires du monde. Pour finir, je tiens à vous certifier que ce que je m'apprête à vous dire vient uniquement de mon intérêt à servir mon pays et mon empereur.

— Venez-en au fait, répondit Nicolas II en fronçant les sourcils.

Son ton se teintait d'une légère impatience, et le conseiller ministériel jugea que le moment n'était peut-être pas très bien choisi pour l'entretenir de ce qui allait suivre. Mais il ne pouvait plus reculer. De plus, le tsar venait de l'inviter à se montrer franc envers lui. L'homme fit un léger mouvement avant du torse en signe d'acquiescement, puis se lança.

— Bien, Votre Altesse ! Je me présente aujourd'hui devant vous non seulement en tant que ministre de l'Intérieur, mais également en tant que conseiller et ami, car je pense qu'il est de mon devoir de vous mettre en garde. Il existe au cœur même de votre entourage une éminence grise qui semble avoir de plus en plus d'influence sur le pouvoir décisionnel de Votre Majesté, et il est impératif que vous soyez au fait de certaines informations sur les conséquences néfastes de la présence de cet homme à la cour. Je parle ici du prieur du monastère Ipatiev, Raspoutine-Novyï.

Nicolas II réprima un mouvement d'impatience qui n'échappa pas au ministre, mais celui-ci fit mine de ne rien voir et poursuivit.

— Sa présence continuelle dans le cercle intime de la famille royale tout comme son mode de vie, disons-le, répréhensible, ternissent l'image de la monarchie, et je pense que le prieur devrait être, pour un temps, écarté de la cour. Le temps de calmer les esprits, rajouta l'homme pour bien faire comprendre l'ampleur de cette mise en garde, mais aussi les intentions non définitives de cet avertissement. Le conseiller ne souhaitait pas que sa proposition au tsar suggère une portée à long terme, car il savait pertinemment que ce dernier la rejetterait ; en revanche, une solution à caractère temporaire semblait moins catégorique et devenait donc plus envisageable.

Le tsar regarda attentivement son ministre. Il se leva lentement de son fauteuil pour se diriger vers l'une des fenêtres qui occupaient le pan ouest de la pièce. Il demeura silencieux de longues minutes, le regard orienté vers l'extérieur, tandis que l'homme attendait en silence. Ajouter quoi que ce soit était inutile, Davidovitch en était convaincu. Nicolas II n'était pas un idiot. Il comprendrait la recommandation sans que le ministre doive ajouter plus d'éléments de persuasion.

La nouvelle n'en était pas une. Les ragots circulaient depuis longtemps dans les couloirs du palais, comme dans les rues de la capitale et ailleurs en Russie. Même à l'extérieur du pays, on parlait de la trop grande influence du moine sur les décisions de l'empereur, et la situation entraînait moqueries, caricatures et médisances. Il eût été étonnant que l'empereur n'en fût pas au courant. Nicolas II savait pertinemment que la réputation de Raspoutine était mauvaise. Cependant, à ses yeux, ce que les gens prenaient pour une insidieuse influence n'était que précieux conseils. Mais cela ne faisait pas l'unanimité auprès de ses ministres, de la noblesse, de la bourgeoisie et de son peuple.

Sans se retourner, Nicolas II dit :

— Je vous remercie, Piotr Davidovitch, pour votre grande franchise et pour l'intérêt que vous manifestez envers le pays. C'est tout à votre honneur, et je reconnais bien là votre grande dévotion et votre sincérité qui me sont, je le sais, totalement acquises. Mais je ne pense pas que le prieur Raspoutine-Novyï soit de mauvais conseil, bien au contraire. Ses opinions éclairées me sont tout aussi précieuses que les vôtres et celles des autres ministres. Quant à sa façon de vivre, j'admets qu'elle pourrait être plus discrète et je peux vous rassurer sur le fait que je vais y voir.

— Mais Votre Majesté..., s'objecta le ministre.

— Merci. Nous vous avons écouté, Davidovitch, vous pouvez vous retirer, l'affaire est entendue.

Le tsar venait de passer du singulier au pluriel, signifiant ainsi à son visiteur que la conversation intime qu'il avait eue avec lui était terminée, que l'homme d'État redevenait empereur et que lui-même reprenait son rôle de ministre.

Le conseiller ministériel allait riposter, car il était clair que le tsar se fermait à ses observations et qu'il n'y donnait pas foi, mais il songea que tout cela était bien inutile. Nicolas II ne l'écouterait pas davantage s'il insistait. La discussion était close. De toute évidence, le tsar ne changerait pas d'idée, peu importe ce qu'il dirait. À son corps défendant, le ministre ravala ses paroles et ses accusations envers le moine.

— Votre Majesté, je Vous souhaite une bonne fin de journée, dit-il en effectuant un salut protocolaire.

Il regarda une dernière fois l'empereur qui lui tournait toujours le dos, puis se dirigea vers la sortie. Lorsqu'il referma la porte du cabinet de travail du tsar, il se retrouva nez à nez avec Raspoutine qui le dévisageait avec amusement. Piotr Davidovitch le considéra une seconde avec dédain avant de partir sans rien dire. Le prieur le regarda s'éloigner. Son regard bleu trahissait sa profonde concentration. Le moine infiltrait les pensées du ministre, mais celui-ci n'en savait rien.

— Tiens, tiens ! Ce cher Piotr cherche à m'évincer de l'entourage du tsar... Hmmm ! Je vais devoir m'en mêler. Je ne voudrais pas que cet homme, qui a tout de même une certaine influence, finisse par convaincre Nicolas. Trop de points négatifs pourraient à la longue éveiller les soupçons de notre empereur à mon égard ! D'abord Klimentinov, ensuite Davidovitch, en si peu de temps... Ce n'est pas très bon pour ma cote de popularité ! Ma cote de popularité… Ha ! Ha ! Ha ! Que c'est drôle !

Dans le cabinet de travail, Nicolas II n'avait pas bougé. Il se tenait toujours devant la fenêtre qui donnait sur le parc. Les mains croisées dans son dos, il réfléchissait à sa rencontre avec le ministre. Il songeait également aux accusations d'Arkadi Klimentinov et aux corrélations entre ces deux attaques contre le moine. Pendant un instant, il se demanda s'il ne devait pas prendre la chose plus au sérieux. Devait-il éloigner le magistère de la cour, comme le suggérait son fidèle ministre ? Piotr Davidovitch était à ses côtés depuis bien des années, et ses conseils avaient toujours été bons et en faveur du pays.

Ses pensées furent interrompues par trois petits coups frappés à la porte.

Le majordome entra pour annoncer à l'empereur :

— Votre Majesté, le prieur Raspoutine-Novyï demande à vous voir.

Nicolas II sentit alors une onde le parcourir de la tête aux pieds, comme si son être et son esprit se détendaient complètement. Il sourit, oubliant aussitôt les mises en garde de son ministre.

— Faites-le entrer ! s'écria-t-il en s'élançant vers la porte pour accueillir son ami avec chaleur.

Chapitre 5

— Viktor, mon fils ! s'écria Arkadi en prenant le jeune par les épaules, avant de l'embrasser, visiblement content de le retrouver.

— Père, que je suis heureux de vous revoir ! Vous m'avez tant manqué !

— C'est vrai ? Pourtant, tu ne me donnes guère de nouvelles, tes lettres se font rares... Ekaterina t'en veut énormément, tu sais, le taquina Arkadi, les yeux empreints de malice.

— Je sais, père, et j'en suis tout aussi peiné que navré, mais nous sommes si occupés ici ! Et puis, je participe régulièrement à des missions, le Maître me laisse bien peu de temps à moi.

— Oui, les missions... J'en ai entendu parler. Je sais également qu'il t'emmène partout avec lui, que tu vas régulièrement à la cour et que tu fréquentes de temps à autre les enfants de notre tsar.

Viktor émit un demi-sourire, se retenant de trop montrer sa joie à son père de peur que celui-ci ne l'interprète. Il ne voulait pas qu'Arkadi pense que sa nouvelle vie passait avant lui et Ekatérina ni qu'il sache qu'elle lui plaisait énormément.

— Tu me sembles bien proche de Raspoutine depuis que tu vis à la commanderie, enchaîna le Loup.

Le Jeune Loup avait physiquement changé depuis la dernière fois qu'il avait vu son père adoptif, à Ipatiev. Il avait grandi et ses épaules s'étaient élargies. Ses yeux bleu ciel, si particuliers, offraient un regard plus résolu, et Arkadi y lut de la détermination, qualité qu'il savait apprécier. Le Jeune Loup devenait un beau jeune homme, et son père adoptif remarqua que les cicatrices laissées par l'attaque du carcajou sur sa joue droite s'étaient estompées jusqu'à ne laisser que trois fins sillons d'un blanc laiteux qui s'étendaient jusqu'à l'oreille pour aller se perdre dans ses cheveux, plus longs et ondulés. Ce témoignage marquait de façon indélébile la dure épreuve qu'il avait traversée dans la forêt de Kostroma. Cela ajoutait une force presque mystique au caractère sérieux du jeune homme. Viktor dégageait déjà une aura particulière. Quiconque le croisait devinait qu'il était un être à part. Il changeait, constata le Chef de meute ; il quittait le monde de l'enfance pour entrer dans celui de la raison. Néanmoins, l'adolescent n'avait tout de même que quatorze ans, songea le Loup, et à cet âge, on est grandement influençable.

Le Jeune Loup fixait le bout de ses bottes tout en déplaçant son poids d'une jambe à l'autre, de toute évidence très mal à l'aise devant la réflexion de son père. Il ne désirait pas lui faire de peine et encore moins le décevoir, mais il savait fort bien ce que pensait Arkadi du Grand Maître. Il se rappelait avec exactitude les mises en garde de son père adoptif et la haine qui se dégageait de ses yeux au moment de son départ pour la capitale. Mais avec le temps, Viktor avait appris à connaître le moine, et même, tranquillement, à l'apprécier. Bien entendu, il n'aurait su révéler à son père les liens qui l'unissaient maintenant au prieur. D'ailleurs, il n'y songeait même pas. Il savait que c'était inutile. Arkadi n'aimerait jamais Raspoutine, c'était aussi clair que le lever du jour, aussi sûr que l'arrivée de la neige qui couvrait son pays chaque hiver ; le Loup soupçonnait le magistère d'avoir assassiné Gregori Bogdanovitch et Iakov Popovski. Viktor ne parvenait pas à comprendre cet entêtement, mais il percevait parfaitement cette rancœur qui habitait son père.

Le Jeune Loup connaissait le ressentiment d'Arkadi, mais ne le comprenait pas. Il se demandait si, par amour, il était tenu de partager la haine que le sénéchal éprouvait pour le Grand Maître.

Arkadi, de son côté, discernait avec clarté le conflit intérieur de son fils ainsi que le malaise que lui causait sa présence, et cela l'attristait profondément. Comment le Jeune Loup pouvait-il se sentir inconfortable au contact de son père ? L'enfant avait changé, et pas seulement physiquement, et le Loup savait exactement pourquoi. Raspoutine était parvenu à corrompre son esprit et à l'envoûter. Lui aussi. C'était si évident ! Arkadi sentait monter en lui une sourde colère. Si le prieur avait été présent dans la salle avec eux, il se serait certainement jeté sur lui pour l'étrangler de ses deux mains. Il le détestait intensément, et la violence de ses pensées avait quelque chose de terrifiant. Plus le temps passait, et plus Arkadi était obnubilé par le moine, à un point tel qu'il ne parvenait plus à réfléchir avec objectivité. Raspoutine faisait naître chez le Loup de violents sentiments qu'il ne connaissait pas et qu'il se serait cru incapable d'éprouver. Le sénéchal était profondément convaincu que le prieur du monastère Ipatiev, ce moine diabolique, avait été mis sur sa route pour faire son malheur. Raspoutine damnait sa vie. Il lui prenait allègrement tout ce qui avait toujours le plus compté pour lui : son père, son ami et confident, et maintenant son fils. Et il entraînait également dans le sillage de cette folie dévastatrice ses sentiments et ses liens avec son Ekaterina, ainsi que son infini respect pour la confrérie et pour sa mission. Sa vie n'était plus la même depuis que le religieux y avait fait son entrée.

Arkadi fit un effort pour se contrôler. Viktor ne devait pas subir les contrecoups du mal qu'engendrait le moine.

— Il n'est pas aussi fourbe que vous le pensez, père, dit enfin le Jeune Loup, sa voix basse imprégnée de tristesse, comme s'il saisissait les pensées de son éducateur.

L'homme jeta un regard sombre à l'enfant. Il avait envie de le saisir par les épaules et de le secouer jusqu'à ce qu'il prenne conscience de l'absurdité de ses paroles. Jusqu'à ce qu'il réalise à quel point ses mots le blessaient. Il comprit soudain qu'il en voulait profondément à son fils d'éprouver de tels sentiments pour l'homme qu'il détestait le plus au monde, et il réalisa par le fait même toute l'ampleur de sa propre détresse. Arkadi chassa aussitôt ces sombres pensées. Comment Viktor pourrait-il comprendre ce qu'était Raspoutine, alors qu'il ignorait tout de ses actes, de ses crimes et de ses aspirations profondes ? L'enfant avait bien deviné, alors qu'il était encore au monastère, que son père en voulait énormément au prieur ; il lui avait même dit qu'il savait qu'Arkadi le soupçonnait des meurtres du Grand Maître et de son fidèle conseiller, mais tout cela était loin derrière eux et, depuis, le moine avait su se faire apprécier du Jeune Loup, remplaçant ainsi ses appréhensions par des sentiments plus nobles. Et puis, à cette époque qui lui semblait si lointaine maintenant, Arkadi n'avait pas encore découvert toute la portée des manigances du magistère. Viktor n'avait pas été témoin de l'agression de son père et il ignorait même que le moine en était l'instigateur, puisque Arkadi ne lui avait rien dit de ses soupçons sur le sujet. Il ne savait pas non plus que son père avait été victime d'une tentative d'empoisonnement. Il n'en avait eu que des échos, et seulement une fois que le drame avait été surmonté, et le Loup avait bien pris soin de maintenir le jeune en dehors de cette histoire. Ce dernier ignorait qu'il s'agissait d'un attentat visant à éliminer le Chef de meute. Viktor ne pouvait donc pas associer toutes ces tragédies au prieur et, en conséquence, il était normal que le Jeune Loup ne perçoive pas le mal qui se dégageait de cet homme qui s'employait, bien au contraire, à lui plaire.

— Tu sembles l'apprécier..., parvint à articuler Arkadi en faisant de gros efforts pour se maîtriser.

— C'est un homme généreux, intelligent et très protecteur envers moi. Je n'ai pas à me plaindre de lui.

— Oui, c'est ce que je vois, laissa tomber avec amertume le sénéchal.

Il ravala les paroles qui lui remontaient dans la gorge et les larmes qui lui brûlaient les yeux. Une profonde douleur lui traversa l'estomac comme un solide coup de poing. Mais il ne pouvait en vouloir à son fils. Après tout, ce n'était encore qu'un enfant. Bien entendu, Raspoutine était parvenu à lui brouiller l'esprit. Il savait manipuler le tsar et son entourage ; que dire alors d'un garçon de quatorze ans, seul qui plus est, avec qui il passait le plus clair de son temps et devant qui il réalisait des exploits incroyables en sauvant la vie de Nicolas II ! Raspoutine passait pour un véritable héros aux yeux du Jeune Loup et, bien malgré lui, Arkadi en conclut que c'était normal. Cette réalité démoralisait le Chef de meute, mais il devait la tolérer par amour pour son fils. Il parviendrait bien, d'une façon ou d'une autre, à éliminer ce moine de malheur et à faire tomber le masque d'hypocrisie grâce auquel il trompait tout le monde. Alors, Viktor le verrait sous son vrai jour, tel qu'il était réellement.

Arkadi savait qu'il était un des seuls, avec Sevastian, à connaître le vrai visage du religieux et à savoir à quel point ce fourbe semait le mal autour de lui. Il y avait bien ce correspondant anonyme qui, depuis le début, le mettait en garde, mais le Loup n'avait eu aucune nouvelle de lui depuis plusieurs mois. Le silence complet. Il savait plus que n'importe qui que Raspoutine était un être mauvais qui œuvrait dans un seul but et manipulait tous ceux qui avaient le malheur de croiser sa route. Et Viktor, à son grand dam, ne faisait pas exception.

Pour cacher son trouble, le Loup prit son fils adoptif dans ses bras et le serra. Il devait pardonner à Viktor ce qu'il considérait comme une trahison. Après tout, elle était faite de façon innocente. Mais pour y parvenir, il devait tout mettre en œuvre pour faire tomber le prieur avant que celui-ci ne parvienne à détourner définitivement son fils de lui. Il resserra ses bras autour du Jeune Loup tandis que des larmes brouillaient son regard sombre. Ses pensées se portèrent vers Nicolas II, vers l'espoir de voir ses accusations conduire le prieur à la potence.

Palais de la Moïka,
Petrograd

Le prince Felix Youssoupoff, comte Soumakoroff-Elston*, déjeunait en compagnie de sa mère, la princesse Zinaïda Youssoupoff*, et du grand-duc Dimitri Pavlovitch Romanov de Russie* dans l'immense serre de style mauresque* de son palais de la Moïka, au beau milieu d'espèces végétales aussi spectaculaires que rares. Le jardin d'hiver offrait des variétés que le noble faisait venir de partout et que ses jardiniers, les meilleurs au monde, entretenaient avec soin. Le prince aimait les belles choses et choisissait toujours ce qu'il y avait de mieux.

La rencontre se voulait cordiale, mais en réalité les trois convives avaient choisi ce moment pour faire le point sur quelques aspects sérieux qui secouaient la politique et les tensions qui minaient la Russie. Le tsar était certainement très préoccupé par les révoltes internes de son pays, mais il n'était pas le seul. Les nobles, les aristocrates, les bourgeois et les gens d'affaires suivaient avec autant d'intérêt ces événements, qu'ils voyaient d'un fort mauvais œil, tout en s'interrogeant sur ce qui allait en résulter. Des changements auraient lieu, mais, selon l'avis de plusieurs, rien de bon n'en découlerait ! Les rumeurs allaient bon train dans les salons et les réceptions, et plusieurs hauts personnages laissaient entendre qu'ils comptaient quitter le pays avant que les choses ne tournent au vinaigre. Plus d'un faisaient référence à la Révolution française*, et déjà quelques gros investisseurs transféraient leurs capitaux dans des institutions bancaires en Angleterre et en France. Les plus audacieux déplaçaient leurs investissements aux États-Unis.

Le prince et sa mère, la princesse Youssoupoff, représentaient à eux seuls une des familles les plus riches de Russie, et même d'Europe. Ils étaient plus riches encore que la famille impériale. Et, par souci de leurs propres affaires, l'idée d'un renversement du gouvernement ne les enchantait guère, mais cette éventualité était tout de même envisageable. Ce n'était pas la peur de perdre de l'argent qui les minait, mais plutôt celle de perdre les privilèges que leur apportait la noblesse. Ils discutèrent longuement, durant ce long et délicieux déjeuner gastronomique, des conséquences d'un coup d'État, se demandant non sans inquiétude si cela pourrait survenir en Russie. Les trois convives débattirent également de la politique russe et de certaines décisions de l'empereur, de cette guerre qui était à leurs portes et de ses différents protagonistes.

Mais le but réel de cette rencontre était tout autre dans l'esprit du comte Youssoupoff, même si, quelque part, il était en lien avec les événements. En réalité, les raisons politiques n'étaient qu'un prétexte, une prémisse à ce qui allait suivre. Il attendit le moment opportun pour enfin lancer le sujet qui le préoccupait vraiment, et ce prétexte se présenta en même temps que le sorbet aux poires.

— Dimitri, mon cher ami, changeons de sujet, veux-tu ? La politique m'ennuie, dit-il en agitant la main comme s'il chassait des mouches. Dis-moi donc ce que tu penses de la présence de ce Raspoutine à la cour. Tu dois régulièrement le croiser, car on me dit qu'il fréquente assidûment les salons du palais et les grandes réceptions.

Le grand-duc Pavlovitch appartenait à la famille Romanov. Il était le cousin de Nicolas II, leurs pères étaient frères, et c'est ce qui expliquait la place qu'il occupait à la cour. Le tsar aimait beaucoup le jeune aristocrate, et les rencontres entre les deux hommes étaient assez fréquentes, puisque les deux jouaient au tennis ensemble trois fois par semaine.

L'invité ne répondit pas tout de suite. Il jeta un regard bourré de sous-entendus au comte qu'il connaissait comme s'il avait été son propre frère. Ils fréquentaient les mêmes lieux à la mode, avaient le même groupe d'amis et avaient été tous deux épris de la même fille. C'est d'ailleurs cette histoire de cœur qui les avait liés. La jeune femme, promise à un autre homme, avait annoncé aux deux galants qu'elle quittait la Russie pour aller épouser un prince espagnol. Les deux amoureux éconduits s'étaient alors assis à la même table et avaient passé la soirée à boire au bonheur de la donzelle ! À partir de ce jour, les deux hommes formèrent un duo uni par une véritable et sincère amitié.

— Dis-moi, mon cher Felix, si tu me disais exactement ce que tu veux savoir, nous gagnerions du temps, tu ne penses pas ?

Le comte le regarda d'un air entendu. Sans se départir de son sourire, il prit un petit boîtier en argent finement ouvragé, sur le couvercle duquel apparaissait l'écusson de la famille, et dont il tira une cigarette qu'il alluma. Il rejeta la première bouffée avec satisfaction.

— Tu devrais savoir que Dimitri te connaît comme un frère, lança la princesse Zinaïda avec un sourire charmant.

Le comte Youssoupoff cligna des yeux avec lenteur.

— Soit, soit ! Que penses-tu de Raspoutine ?

Le grand-duc passa la langue sur sa lèvre inférieure avant de l'attraper entre ses dents. Il prit son temps pour répondre, les yeux empreints de l'intelligence de celui qui devine très exactement où veut en venir son interlocuteur.

— Ce que je pense de Raspoutine ? Quelle drôle de question ! La même chose que tout le monde, j'imagine !

— Mais encore ? insista le comte.

— Que c'est un filou qui manipule le tsar et sa femme, tout simplement ! laissa tomber l'aristocrate dans un sourire.

Un silence tomba autour de la table. Non pas un silence de malaise, mais plutôt de réflexion. Chacun réfléchissait à cette simple phrase que venait de lancer le grand-duc et à tout ce qu'elle impliquait de sous-entendus.

— Mais encore ? redemanda le comte en portant cette fois la fine tasse de porcelaine à ses lèvres pour y boire une gorgée de café.

— Cessons de tergiverser, veux-tu, et dis-moi très honnêtement ce que tu veux entendre.

Felix Youssoupoff émit un petit rire discret avant de reposer sa tasse. Il jeta un coup d'œil à sa mère, qui le regardait elle aussi d'un air empreint de connivence.

— Crois-tu que le moine représente un quelconque danger pour la couronne ?

— Ah, voilà ! lança le grand-duc en hochant la tête d'un air entendu. Très honnêtement, je le crois, et je ne pense pas être le seul. Même le peuple ne voit pas d'un très bon œil la présence de cet homme auprès du tsar, et il semble lui imputer les mauvaises décisions, trop nombreuses, qu'a récemment prises l'empereur. Je pense très sérieusement que si ce brigand n'était pas là, Nicolas ne connaîtrait pas cette impopularité. Du moins, elle ne serait pas si... excessive ! C'est le moine qui éveille chez les Russes ce sentiment de méfiance envers Nicolas. Le peuple n'aime pas cet homme, et il n'est pas le seul. La plupart des nobles de Russie se méfient également de lui.

— Alors, pourquoi se taisent-ils ? Pourquoi ce silence ? demanda la princesse en penchant la tête vers le grand-duc.

— Pourquoi ne disons-nous rien, ne faisons-nous rien ? Je l'ignore, madame. La peur, peut-être..., répondit Dimitri en secouant la tête.

Son regard était devenu plus grave et il avait perdu l'air taquin qu'il affichait presque en permanence, comme si le sujet le touchait plus personnellement.

Le comte fronça lui aussi les sourcils. Rien n'avait été dit, et pourtant une ambiance plus lourde venait d'envahir la serre.

— La peur, hein ? lança Felix Youssoupoff en fixant le bout de sa cigarette.

— Peut-être bien, honnêtement je l'ignore, peut-être est-ce plus profond que ça... Ce que je sais par contre, c'est ce que je vois, et ce que je constate, c'est que personne n'ose se dresser contre ce diable de moine ! Et même si tout le monde se levait pour mettre Nicolas en garde contre ce Raspoutine, le tsar n'écouterait pas. Il est totalement subjugué par cet homme, comme si celui-ci l'avait envoûté. Et je sais de quoi je parle. Je le constate chaque fois que je me trouve en présence des deux hommes. Nicolas agit comme un pantin et semble toujours attendre l'assentiment du religieux pour prendre toute décision, même lorsqu'il doit choisir ce qu'il mangera au déjeuner!

La princesse Zinaïda prit un air inquiet avant de dire à son tour:

— Dimitri, tu as certainement raison, mais je pense que ce n'est pas lui le plus conquis, mais plutôt la tsarine. Depuis que ce Raspoutine a soi-disant guéri le *tsarevitch* de ses crises dues à son hémophilie, Alexandra dit de lui, à tous ceux qui veulent l'entendre, que c'est un saint homme, un devin, un *staretz*. C'est elle qui insiste pour que l'homme demeure à leurs côtés en tout temps, et c'est elle aussi qui pousse le tsar à tenir compte de ses conseils. Raspoutine assiste à toutes les audiences, à toutes les rencontres ministérielles et même personnelles du tsar. Bien entendu, Nicolas est également subjugué par le religieux et voit chez cet homme des qualités exceptionnelles qui semblent échapper à d'autres. Notre cher empereur considère lui aussi le moine comme un sage, un élu de Dieu, et, à ce titre, il lui témoigne le plus grand des respects. J'ignore très honnêtement comment le prieur a fait pour se tailler cette place auprès des Romanov, mais, pour l'avoir vu de mes yeux, il a une aura qui fascine bien des gens, pas seulement le tsar et sa femme. Il possède un magnétisme... incroyable.

— Nous ne sommes pourtant pas sous son charme ! lança en riant le grand-duc Dimitri.

— Non, c'est vrai, et j'ignore pourquoi, concéda la princesse. Peut-être parce que nous refusons de donner foi à ces balivernes, suggéra-t-elle. Peut-être ne ressentons-nous pas le besoin de croire en son mysticisme.

Les deux hommes la regardèrent un instant, comme s'ils évaluaient les paroles de la femme et tentaient d'en comprendre toute leur signification.

— Oui, vous avez peut-être raison, mère, peut-être ne voyons-nous pas en cet homme le mystère que les autres y voient.

La princesse opina de la tête par petits coups comme pour valider l'argument de son fils.

— Mais alors pourquoi Raspoutine n'use-t-il pas de son influence pour mettre le tsar en garde face à l'opinion publique, face aux rumeurs et à cette impopularité dont il fait les frais ? demanda Felix.

— Peut-être bien parce que toute cette affaire l'arrange, suggéra le grand-duc.

Le prince dévisagea son ami, le front légèrement plissé.

— Ce que tu suggères est grave, répondit-il. Tu es en train de prétendre que le moine manipule le tsar et son entourage dans un but précis.

— Je ne sais pas, mais comme vous, je m'interroge... Quoi qu'il en soit, je ne peux que constater que cet homme est bel et bien néfaste pour l'empire et pour le tsar... Que pouvons-nous faire ? Prévenir Nicolas ?

— Non, il refuse d'écouter, répondit la princesse.

— Et toi, Felix ?

— Moi ?

— Que penses-tu de ce moine ?

— La même chose que toi, que c'est un filou qui manigance quelque chose. Je le déteste, tout simplement, depuis l'instant où je l'ai vu, la première fois qu'il a rencontré la tsarine ! s'écria le prince non sans sourire. Vous étiez là, d'ailleurs, mère.

La princesse confirma d'un hochement de tête.

— Et toi, Dimitri, tu le trouves fourbe, mais le détestes-tu aussi ? demanda-t-elle en fixant le jeune homme de ses magnifiques yeux gris-vert.

Le grand-duc plissa les paupières en regardant la mère de son meilleur ami. Il comprenait à travers cette demande que quelque chose se tramait et que cette question, simple en apparence, cachait autre chose.

— Oui, vraiment. C'est un être sournois, un imposteur qui entache l'honneur de ma famille, et j'avoue que son emprise sur le tsar me fait peur. Je me méfie de lui et je crains pour l'avenir de la monarchie. La présence de cet homme à la cour, le mécontentement du peuple, les tensions mondiales et l'insatisfaction des Russes quant à la situation de la Russie et à leur propre bien-être me fait redouter le pire. Si nous enlevions un élément de cette équation, je crois que nous parviendrions à désamorcer une situation qui risque bien d'éclater à tout moment.

Le comte Youssoupoff fixa sur son visiteur un regard étrange où se mêlaient satisfaction et malice. Il se pencha vers la table pour prendre la cafetière en argent.

— Un peu de café?

L'hôte acquiesça d'un léger signe de la tête. Le comte le servit avant de servir également sa mère, qui affichait un air entendu.

— J'ai mené mon enquête au sujet de ce moine. Je te révélerai après ce que je sais sur lui, mais d'abord, je veux partager avec toi les informations contenues dans le rapport que je viens de recevoir.

Il leva la main. Aussitôt, un jeune homme vêtu aux couleurs de la famille Youssoupoff s'approcha de la table pour lui tendre une chemise noire en carton assez épais. Le comte défit les lanières de cuir qui servaient à la maintenir fermée, regarda un instant son contenu et dit:

— J'enquête sur Raspoutine depuis des mois, et je dois dire que l'homme est rempli de surprises. Ses airs de pénitent cachent en réalité un personnage totalement différent. Selon mon informateur, notre ami a pas mal voyagé. Après avoir fait ses études en Grèce, au mont Athos, il s'est promené un peu partout en Europe. Mais ce qui me paraît intéressant dans son itinéraire est cet arrêt qu'il a fait pendant près de trois ans à Kiev, en Ukraine. Il y a fait la rencontre d'un ermite qui se fait appeler Makari, et c'est à ses côtés qu'il a appris et développé le spiritisme. C'est à Kiev également que le moine a découvert certaines sectes pratiquant le satanisme. Il s'y est intéressé uniquement par curiosité, mais ce qui semblait le plus passionner notre homme à travers ces rencontres et ces expériences, c'est la magie noire. Il en aurait développé l'usage et la pratique là-bas avant de devenir un expert et un maître. Il pratique donc le spiritisme et l'occultisme. À la lumière de ces informations, il n'est pas étonnant qu'il ait réussi à subjuguer Nicolas II et son épouse. Et toutes ces femmes, ajouta en souriant le comte Youssoupoff. Saviez-vous qu'il avait une liaison avec Anna Vyroubova ?

Le grand-duc dévisageait le comte, abasourdi.

— Anna Vyroubova ? Je tombe des nues ! Une si belle femme ! Comment cela est-il possible ?

— Oui, c'est incroyable effectivement, et ce n'est pas tout. Je te montrerai tout à l'heure les autres informations que j'ai amassées sur lui, mais une question me taraude : qu'allons-nous faire de ces éléments de preuve ? Si le tsar refuse de nous écouter — et il refusera, j'en suis persuadé —, qu'allons-nous faire de cela ? Arkadi Klimentinov vient de déposer une plainte. Il accuse le moine de meurtre et de tentative de meurtre, et je sais que l'empereur rejettera ses accusations, pourtant bien fondées. Nicolas est ensorcelé par Raspoutine, et rien ni personne ne parviendra à le convaincre du mal que représente cet homme, même avec des preuves à l'appui.

— Et qui est ce Klimentinov qui ne semble guère, lui non plus, apprécier Raspoutine, au point de déposer ces charges ?

— C'est une autre chose dont je vais te parler. C'est un Loup — le grand-duc fronça les sourcils en signe de questionnement — et il appartient à une confrérie... dont je fais moi aussi partie !

Chapitre 6

Palais d'Hiver, quelques jours plus tard

L'un des deux battants de l'immense et magnifique porte du cabinet de travail de l'empereur s'ouvrit sur un homme en livrée aux couleurs des Romanov. D'un cérémonieux mouvement du torse parfaitement maîtrisé, il salua le tsar avant de dire sur un ton dénué de sentiment :

— Arkadi Klimentinov, Votre Majesté.

— Faites-le entrer, et que personne ne nous dérange, sous aucun prétexte.

Le domestique salua une nouvelle fois son monarque avant de faire entrer celui qu'il venait d'annoncer. Arkadi salua à son tour Nicolas II avant d'avancer au centre de la pièce, là où se trouvait déjà le prieur de sa confrérie, Raspoutine-Novyï. Le moine ne le regarda pas, il sembla même ignorer sa présence. Mais le Loup ne s'en formalisa pas. Après tout, leur rencontre à cette heure si tardive et dans ces lieux ne constituait pas une simple réunion amicale, mais plutôt une évidente confrontation. L'heure n'était plus aux amabilités.

Nicolas II regarda tour à tour les deux hommes qui se tenaient debout devant lui. Il semblait exténué, et ses yeux, habituellement d'un bleu pur, se voilaient de rouge à cause de la fatigue. Un lourd silence emplissait la pièce. Enfin, le tsar entama la discussion.

— Je suis navré, Arkadi Klimentinov, de vous convoquer à cette heure tardive, mais notre rencontre doit demeurer sous le couvert du secret, comme vous le savez.

Arkadi eut un très léger mouvement de surprise lorsqu'il entendit le tsar se désigner à la première personne du singulier. Cela démontrait bien que la réunion n'était pas officielle, et qu'on allait réellement y aborder un sujet plus personnel que les affaires d'État.

— Nous sommes réunis, enchaîna aussitôt Nicolas II en englobant d'un geste de la main droite Raspoutine, Arkadi et lui-même, pour faire le point sur le dossier que vous avez eu l'obligeance de me présenter il y a quelque temps. Je fais ici référence aux accusations que vous portez contre la personne de Raspoutine-Novyï et aux charges présumées de meurtre et de tentative de meurtre.

Le tsar marqua une pause.

— J'ai pris connaissance de votre dossier, Arkadi, et j'ai mis un soin particulier à analyser avec objectivité les accusations que vous portez contre le prieur du monastère Ipatiev, énonça Nicolas II, toujours debout derrière son bureau.

Le ton du tsar donnait à la scène un aspect quelque peu théâtral, et Arkadi saisit aussitôt tout ce que cela impliquait, et prédit en lui-même ce qui allait se dire et se passer dans les minutes qui allaient suivre.

Dans le cabinet de travail de l'empereur russe, loin des regards et des oreilles indiscrètes, étaient ainsi réunis le Grand Maître de la Confrérie des Loups, Raspoutine-Novyï, et le Chef de meute et sénéchal Arkadi Klimentinov, personnages centraux d'une scène qui allait se jouer. L'audience avait été prévue tard en fin de soirée, alors que bon nombre de personnes avaient déjà rejoint leur lit. L'affaire ne devait pas franchir les murs du cabinet de travail de l'empereur, et ceux qui se trouvaient là étaient, bien évidemment, tenus au secret. Nul ne devrait être mis au courant de cette réunion. La rencontre avait quelque chose de dramatique.

— Arkadi Klimentinov... Vos accusations sont très sérieuses, voire graves et, je dois le dire, pour le moins surprenantes.

Le tsar observait le sénéchal avec attention, le dossier posé ouvert devant lui. Ses yeux bleus exprimaient de la compassion, presque de l'amitié pour cet homme qu'il connaissait à peine, mais qui était le fils de son regretté compère, feu Gregori Bogdanovitch.

— J'ai étudié très attentivement vos récriminations et pris en considération chaque point soulevé, puisque votre réputation n'est plus à faire en ce qui concerne votre intégrité, votre loyauté face à la confrérie et votre dévouement à sa mission. Je sais que vous n'êtes pas homme à lancer des accusations sans en avoir avant longuement analysé le sérieux et les conséquences.

Nicolas II marqua un temps avant de reprendre.

— Mais, monsieur, cela semble si incroyable, si... spectaculaire et si loin de vous, toutes ces spéculations…

Le Loup tiqua sur le choix du mot.

— …que je suis dans l'obligation de rejeter ces accusations qui ressemblent davantage à des diatribes*... Comprenez-moi : vos preuves ne reposent sur rien de concret. Ce ne sont là que des présomptions. Prenons pour débuter le rapport de cet apothicaire. Je n'y trouve rien qui relie d'aucune façon la mort d'Iakov Popovski au Grand Maître Raspoutine-Novyï, rien qui confirme cette étrange affaire d'empoisonnement, puisqu'il n'y a aucune preuve démontrant que les cheveux analysés appartenaient réellement à l'ancien secrétaire. Par ailleurs, vous ne démontrez d'aucune façon que, si empoisonnement il y a eu, cela aurait été fait de la main du prieur Raspoutine. Quant à votre père, la question d'intoxication ou de meurtre ne se pose même pas, puisque aucune autopsie n'a été faite à la suite de son décès. Ce ne sont là que des spéculations de votre part... Votre apothicaire affirme, certes, que les cheveux analysés contenaient des traces d'acide prussique, mais où sont les preuves ? Tout cela ne repose que sur sa parole. Sachez, pour clore ce premier point, que nous avons mené notre enquête sur cet herboriste, et nous n'avons pas eu à aller bien loin avant de découvrir que cet homme est un charlatan et qu'il vend des panacées de son cru qui n'ont absolument rien de miraculeux. Il a plusieurs fois été condamné pour escroquerie et fausse représentation. C'est un bonimenteur.

Le tsar fit une pause avant de rajouter :

— Je suis vraiment désolé.

Nicolas II semblait réellement plaindre le Loup ; son regard était compatissant. Il fit une pause afin de laisser au sénéchal le temps de reprendre pied. L'empereur savait que la suite de l'entretien ne serait pas facile et qu'il anéantissait chez le Loup tous ses espoirs de voir Raspoutine condamné. Le tsar pensait, à tort, que la volonté d'Arkadi de voir tomber le moine ne répondait qu'à son besoin de mieux accepter la mort de son père et celle d'un ami en jetant le blâme sur le magistère.

— Arkadi, reprit l'empereur, votre dossier ne comporte aucune preuve, aucun fait tangible qui relie d'une façon ou d'une autre le prieur à ces crimes que vous lui imputez.

Le Loup ne répondit rien. Il se contentait de détailler le tsar. Il n'était pas réellement étonné par ce qu'il entendait; déçu, certes, mais pas surpris. Ce qui l'agaçait le plus dans cette rencontre, ce n'était pas le fait que Nicolas II réfute ses accusations, mais bien la victoire que cela concédait implicitement au moine. Arkadi le sentait qui se réjouissait de cette scène, et le Chef de meute se sentait impuissant, presque ridicule même. Une grande frustration l'envahissait. Il réalisait encore une fois toute l'inutilité de son action. Raspoutine conservait toujours une longueur d'avance; pire, il ne perdait même pas de terrain, bien au contraire, il en gagnait. Mais tout n'était pas terminé. Il restait encore les accusations de tentative de meurtre contre sa propre personne.

— En ce qui concerne les deux charges d'attentat contre vous, j'ai le regret de vous informer que je ne peux les retenir, elles non plus.

Cette fois, Arkadi serra les mâchoires. Son regard trahissait son incompréhension. La surprise était de taille. Un léger mouvement sur sa droite attira son attention, là où se trouvait le prieur. Le moine, pourtant tourné de trois quarts, continuait, impassible, de regarder au loin à travers la fenêtre, les bras croisés dans le dos. Il était si évident qu'il savourait avec délectation ce moment qu'en réalité, toutes paroles étaient inutiles.

— Commençons, voulez-vous, par cette autre triste affaire d'empoisonnement. Je ne vois rien dans votre rapport qui lie, d'une façon ou d'une autre, Raspoutine à cette ignominie. Là encore, vous supposez qu'il est l'auteur de ce crime, mais je n'ai trouvé dans votre exposé rien de concluant. Cependant, je retiens l'action, bien qu'innocente, d'Ekaterina Bogdanovitch. C'est elle qui vous a versé les décoctions pendant des semaines. Elle seule avait accès à ces herbes qu'elle affirme cueillir elle-même et qu'elle conserve dans ses propres appartements. Bien entendu, ses gestes ne seront aucunement considérés comme liés à cet empoisonnement, mais nous pourrions y voir des preuves accablantes.

Arkadi allait répondre quand le tsar, d'un signe de la main, lui intima le silence.

— Inutile. Je ne porte aucune accusation contre elle. Elle est la fille de Gregori et, à ce titre, elle a tout mon respect. Il est clair dans cette histoire qu'elle n'a servi que d'instrument à une tierce personne, et l'affaire ne s'arrêtera pas là. J'ai ordonné l'ouverture d'une enquête. À cette heure, un commissaire roule vers Kostroma avec ordre de faire toute la lumière sur cette histoire. Penchons-nous maintenant sur l'attentat perpétré contre votre personne dans les bois de Kostroma par des brigands.

Arkadi manifestait des signes d'impatience. Il aurait aimé parler, dire ce qu'il avait sur le cœur, débattre son point de vue, mais l'empereur ne lui accordait pas la parole. Et Nicolas II ne semblait pas voir la tempête qui s'élevait. Seul Raspoutine percevait toute l'agitation du sénéchal. Le Loup sentait bien que sa présence dans cette pièce, à cette heure tardive, ne tenait lieu que de simple représentation et qu'il y jouait le mauvais rôle. Tout cela n'était qu'une fumisterie orchestrée par Raspoutine, et le rôle principal du pantin était tenu par le tsar lui-même.

— De toute évidence, poursuivit Nicolas II, vous avez été la victime de quelques coupe-jarrets qui s'en prennent à des voyageurs solitaires pour les détrousser. Vous dites dans votre rapport avoir clairement identifié Raspoutine-Novyï, mais ces souvenirs vous sont revenus plusieurs semaines, voire plusieurs mois après les faits. Je ne peux malheureusement qu'en déduire que vous avez fabulé et que votre esprit a adroitement mélangé des scènes de la vie quotidienne à cette confusion afin de mieux accepter les événements et surmonter le traumatisme qui vous a été infligé. Ne pas savoir et ne pas comprendre ce qui nous est arrivé a de quoi déstabiliser même les plus vaillants d'entre nous. Vous ne faites pas exception.

Cette fois, Arkadi, ne pouvant plus se retenir, dit :

— Veuillez me pardonner, Votre Excellence, de vous interrompre, mais je suis certain de ce que j'ai vu. Mon esprit a été long à guérir, certes, mais je ne doute pas de mes souvenirs. Ils sont clairs et précis ! Je sais que Raspoutine est le metteur en scène de cette agression.

Nicolas II fit le tour de son bureau pour se rapprocher du Loup. Il se tenait à quelques centimètres de lui et, pendant une seconde, ils se fixèrent attentivement. Arkadi savait, comprenait, que toute discussion était vaine, mais il refusait d'abandonner le combat.

— Mon cher Arkadi, je suis navré de ce qui vous est arrivé et je vous fais la promesse de tout mettre en œuvre pour découvrir la vérité concernant cette attaque dans la forêt et cette tentative d'empoisonnement. Nous devons savoir exactement ce qui s'est passé et pourquoi ; je le dois non seulement à vous, mais aussi à mon inestimable ami Gregori. Je vous donne donc ma parole que nous découvrirons qui a commandité ce crime, si celui-ci a réellement été commandité.

Mais je peux déjà vous dire que Raspoutine n'est pas le responsable de cette agression.

— Douteriez-vous de ma parole, Votre Majesté ? demanda Arkadi, oubliant totalement l'usage et le respect qu'il devait démontrer à celui qui se tenait devant lui.

En insinuant ainsi que le tsar se trompait, il retournait le doute contre le tsar lui-même. Mais en homme bon qu'il était, Nicolas II n'en prit pas ombrage. Il comprenait la réaction de l'homme qui se trouvait devant lui.

— Non, je ne doute pas un instant de vos souvenirs, mais ce que je dis par contre, c'est que votre mémoire vous joue des tours. Peut-être est-ce une façon qu'a trouvée votre esprit pour permettre à votre âme de guérir.

Ces quelques paroles plongèrent les deux hommes dans un profond silence. Le moine continuait de fixer le vide, toujours dans la même attitude. Arkadi rongeait son frein, ne sachant quoi dire de plus pour convaincre le tsar de le croire. La cause était perdue et il le savait. Nicolas II se sentait mal à l'aise de réfuter ainsi les accusations du fils adoptif de son loyal ami Gregori, car même si les preuves manquaient dans cette triste affaire, la foi du Loup suffisait à déstabiliser l'honnête homme qu'il était. Raspoutine, de son côté, savourait pleinement sa victoire parce qu'il savait que la scène qui se jouerait ensuite allait, une bonne fois pour toutes, clouer le bec à cet empêcheur de tourner en rond.

— Cher Arkadi, Raspoutine ne peut s'être trouvé avec vous dans cette forêt, à donner des ordres à quelques vulgaires brigands, puisque, au même instant, il était ici même, à Saint-Pétersbourg !

Arkadi ouvrit de grands yeux. Le tsar allait donc lui fournir la preuve de l'innocence du moine. Il comprenait que la partie venait de se terminer, que Nicolas II avait réservé la preuve suprême pour la fin.

— À Saint-Pétersbourg... ici ? C'est impossible, je vous dis...

Nicolas II leva la main pour exiger, encore une fois, le silence. Il ne désirait pas qu'Arkadi persiste à s'enfoncer dans cette triste histoire.

— Arkadi, je ne vous laisserai pas vous humilier plus avant dans ces fables que vous vous racontez. J'ignore quelles sont les raisons qui vous poussent à en vouloir autant à Raspoutine, mais je ne peux réfuter l'alibi de taille qui démontre l'innocence du prieur dans cette affaire.

Sans rien ajouter, Nicolas II se dirigea vers une porte camouflée qui se fondait parfaitement à la tapisserie, une de ces portes dérobées comme on en trouvait alors dans tous les palais et les châteaux. Il entrouvrit le panneau et s'adressa à quelqu'un qui se trouvait là. Il suffit d'un instant avant que n'apparaisse dans la pièce une magnifique femme d'à peine trente ans. Son regard était vif et intimidant.

Fière et distinguée, elle s'avança avec élégance au milieu de la pièce, là où se tenait le magistère, qui se retourna enfin, et le Loup. Elle les salua d'un gracieux signe de tête. Son visage était à demi caché derrière une voilette d'un vert forêt, de la même couleur que sa robe.

— Arkadi Klimentinov, je vous présente Anna Vyroubova, demoiselle d'honneur, amie et confidente de notre chère tsarine Alexandra. À ce titre, madame Vyroubova est digne de confiance. Veuillez répéter, chère amie, à l'homme ci-présent ce que vous m'avez dit en privé hier. Rien de ce que vous direz ne franchira ces murs, nous vous en faisons la promesse, en dignes gentlemen que nous sommes. Parlez, madame.

La femme pencha timidement la tête tout en relevant le voile de dentelle qui lui cachait une partie du visage. Elle prit un instant, comme si elle hésitait à dévoiler quelque chose d'important sur elle-même, et Arkadi saisissait maintenant parfaitement de quoi il retournait. Il voyait clairement en elle, il savait qu'elle se trouvait là pour offrir un alibi au moine, il ignorait quoi, mais il en était certain. Il ne parvenait pas à lire ses pensées, trop anxieux qu'il était, mais il devinait avec justesse ce que la femme faisait là, à cette heure tardive, dans le bureau du tsar. Enfin, elle prononça d'une voix claire :

— Monsieur, Raspoutine-Novyï, ici présent, ne pouvait se trouver à Kostroma aux dates mentionnées par vous, puisqu'il se trouvait avec moi.

La femme hésita.

— Nous sommes amants, conclut-elle presque dans un murmure, baissant les yeux par pudeur tout en prenant appui sur le dossier d'un des fauteuils qui se trouvaient à ses côtés.

« Ce semblant de malaise est-il le résultat de son aveu, ou bien cache-t-il autre chose ? » se demanda Arkadi en ouvrant grand les yeux, totalement abasourdi par ce qu'il apprenait. Comment cela était-il possible ? Comment un homme aussi repoussant pouvait-il avoir une femme d'une telle beauté pour maîtresse ? Comment avait-il pu la convaincre de mentir, de mettre en jeu son honneur pour un homme tel que lui ? De quelle façon avait-il pu la persuader, quel odieux chantage exerçait-il sur sa personne ? Le moine était passé maître dans l'art de la manipulation, mais là, ça dépassait tout ce qu'Arkadi avait pu imaginer. Toutes ces questions se bousculaient dans la tête du Loup à une vitesse alarmante.

Il ne comprenait plus rien, la situation lui échappait. Le rideau tombait sur la scène finale et, contrairement à ce qu'il avait malgré tout espéré, il ne remportait aucune victoire.

Une seule évidence lui apparaissait maintenant, c'était qu'entre ces murs, dans ce cabinet de travail, ses accusations et les trop maigres preuves qu'il avait déposées entre les mains de l'empereur venaient d'être balayées par ces quelques paroles sorties de cette bouche si délicieuse qui appartenait à une des plus belles femmes qu'il avait eu l'occasion de voir dans sa vie. Le moine avait un alibi de taille, et Arkadi comprenait qu'il lui était impossible de nier cette complicité évidente. Bien entendu, ils étaient amants, et Raspoutine avait demandé à sa maîtresse de mystifier le tsar pour lui. Il était clair qu'elle mentait, le moine n'était pas avec elle lors de l'agression; mais c'était sa parole contre la sienne et il ne pouvait lutter contre la demoiselle d'honneur de l'impératrice de Russie. Le Loup se demanda quelles pouvaient être les raisons qui poussaient une femme comme elle à agir de la sorte. Elle avait déjà un poste de prestige auprès de la tsarine, que faisait-elle donc avec un homme aussi odieux et répugnant que Raspoutine? Nicolas II se doutait-il de cette conspiration, était-il lui aussi au courant? Cherchait-il à protéger son ami en favorisant ces mensonges éhontés, en leur accordant foi? Quoi qu'il en soit, le Loup venait de perdre la partie. Il était en échec, il ne pouvait plus que se retirer.

Sans rien ajouter, Arkadi plongea son regard foncé dans celui de la femme et l'y laissa un instant. Mais il constata qu'il ne parvenait toujours pas à pénétrer son esprit, et il songea avec regret que les rudes moments qu'il venait de traverser en étaient certainement la cause. Il était trop énervé pour parvenir à se concentrer. Malgré tout, il la salua avec respect, puis il se tourna vers le tsar qu'il salua également, mais il omit, et nous comprendrons pourquoi, d'en faire autant à l'égard de Raspoutine. Il ne désirait plus qu'une chose : sortir de ce palais. S'éloigner aussi vite que possible de toute cette mise en scène pitoyable. Il sortit du bureau de l'empereur pour s'enfuir aussi rapidement qu'il le pouvait. Personne ne chercha à le retenir, et bien des gardiens et des domestiques tournèrent la tête sur son passage. La garde en poste devant les portes du cabinet privé de Nicolas II s'était précipitée dans le bureau de l'empereur afin de s'assurer que tout allait bien après avoir vu Arkadi s'élancer ainsi dans les couloirs, le regard empreint de rage. À cette heure tardive, il n'y avait plus tellement de visiteurs dans le palais, et le fait qu'Arkadi sorte aussi rapidement des lieux avait de quoi susciter l'inquiétude de la sécurité.

Une fois à l'extérieur, Arkadi enfourcha son fidèle cheval qu'il lança aussitôt au galop. Il parcourut les rues sans trop savoir où il allait, totalement désemparé, absorbé par ses pensées.

Il ne savait qu'une chose: il devait quitter la capitale. Sa désillusion était immense.

Petrograd n'était que déception depuis son arrivée. Le Chef de meute avait l'impression de n'être qu'un simple pion dans une histoire qui le dépassait mais dont il était témoin.

L'air frais de la nuit lui fouettait les sens. Il savait qu'il devait s'éloigner au plus vite de toute cette affaire s'il voulait comprendre et éventuellement réagir à ce qui venait de se passer. Il discernait de mieux en mieux toute la manipulation dont était victime Nicolas II, il avait vu de ses yeux les effets réels de cet envoûtement. Pendant un instant, il se maudit d'avoir agi comme il l'avait fait, il saisit toute son erreur et comprit, par le fait même, qu'il avait perdu la seule chance qu'il avait eue de contrer ce diable de magistère. Le tsar avait statué sur cette affaire, et Arkadi ne pouvait plus rien y faire. Ses accusations avaient été balayées aussi simplement que le seuil d'une porte, et avec elles, toute sa crédibilité.

Une nouvelle réalité surgit alors dans son esprit. À l'issue de cette affaire, il allait devoir quitter la confrérie. On ne pouvait s'opposer à son Grand Maître, c'était interdit par le code de vie de la communauté. Mais on ne quittait pas les Loups aussi facilement: personne ne pouvait partir de cet ordre vivant, cela aussi faisait partie des lois de la confrérie. Cet aspect de l'affaire, il ne l'avait pas envisagé, mais il surgissait maintenant, à la pleine lumière de cette rencontre et des conséquences qu'aurait celle-ci.

Comme si ce constat se juxtaposait parfaitement à l'instant présent, une désagréable impression l'envahit aussitôt. Une sensation d'urgence mobilisa soudain tout son être, maintenant en éveil. Il s'apprêtait à enjamber un des nombreux ponts qui permettaient de quitter la capitale, et déjà le chemin s'assombrissait. Les réverbères commençaient à être plus distancés et n'éclairaient que partiellement cette route qui menait vers le nord. Instinctivement, Arkadi tourna la tête pour regarder derrière lui. Trois ombres se mouvaient dans la nuit. Arkadi plissa ses yeux sombres, l'esprit en alerte, afin de voir si ces hommes prenaient le même chemin que lui. Mais la promptitude de leur équipée démontrait hors de tout doute qu'ils tentaient de le rejoindre. Sans en avoir la confirmation, le Loup comprit que ces cavaliers s'étaient lancés à sa poursuite. Déjà, le trio, qui venait de toute évidence dans sa direction, gagnait du terrain. Encore quelques mètres et il l'aurait rejoint. Sans attendre, le Chef de meute éperonna son cheval tout en se baissant sur son dos afin de lui permettre une meilleure accélération. Il devait semer ses poursuivants, qui qu'ils fussent, car, il en était persuadé maintenant, ces hommes lui voulaient du mal.

Ces trois cavaliers étaient chargés de l'éliminer et ils le suivaient certainement depuis son départ du palais.

Bien évidemment, Raspoutine savait depuis le début que le tsar ne retiendrait pas les accusations du sénéchal et il avait soigneusement orchestré la suite des événements, depuis sa première rencontre avec Nicolas II jusqu'à sa sortie de l'entretien quelques instants plus tôt. Arkadi devait mourir, et le Grand Maître avait chargé ces hommes de faire le sale boulot. Il était maintenant tout à fait justifié de se débarrasser du sénéchal, puisque celui-ci avait trahi la confrérie et son Grand Maître, bafouant ainsi le code de vie de la communauté. Obéissance, Dévotion et Discipline en étaient les principes de base. Raspoutine avait enfin les coudées franches et une raison tout à fait légitime de se débarrasser de celui qui lui mettait des bâtons dans les roues depuis le début de cette aventure. Plus besoin d'agir dans l'ombre : Arkadi venait de fournir au prieur les armes qui lui serviraient à l'éliminer.

Il pressait son cheval d'aller encore plus vite. Une question lui traversa l'esprit tandis qu'il franchissait au galop les dernières masures des ouvriers qui ceinturaient la capitale : ces hommes étaient-ils des Loups ? Étaient-ce ses frères qui avaient reçu l'ordre de le tuer, ou bien de

vulgaires meurtriers comme ceux avec lesquels
le prieur savait si bien s'acoquiner ?

CHAPITRE 7

Monastère Ipatiev, Kostroma

Tout en lisant le pli qui venait de lui être remis, Ekaterina se laissa choir mollement sur le fauteuil qui se trouvait juste derrière elle. Tout son être tremblait et elle ne parvenait plus à déchiffrer la fine écriture qui semblait danser devant ses yeux. Sa poitrine se soulevait rapidement par petits coups, comme si elle cherchait son air. Sevastian, qui se trouvait avec elle, l'observait, ses sourcils froncés marquant sa soudaine inquiétude. De toute évidence, le message contenu dans ce pli recelait une mauvaise nouvelle. Il s'approcha aussitôt de la Louve pour lui venir en aide, tandis que le feuillet qu'elle tenait glissait de sa main pour aller en valsant s'échouer à ses pieds. Elle était anéantie par ce qu'elle venait d'apprendre.

Sevastian ramassa le pli et en parcourut aussitôt les quelques lignes. Les traits du Chef de meute se transformèrent au fur et à mesure qu'il lisait la missive.

— Mais qu'est-ce que c'est que cette histoire? bafouilla-t-il en relisant la lettre du début, comme pour s'assurer qu'il avait bien lu. C'est impossible...

Ekaterina, submergée de douleur, éclata en sanglots, laissant tomber sa tête entre ses mains pour y enfouir son désespoir. Son compagnon d'armes, lui-même profondément troublé, s'agenouilla lentement à ses pieds et, sans un mot, la prit dans ses bras pour lui offrir son réconfort. La femme s'y réfugia, incapable de se ressaisir, et le frère et la sœur d'adoption laissèrent déferler leur peine.

À l'ensemble des membres de la communauté du monastère Ipatiev, à son ordre et à sa domesticité,

Moi, Raspoutine-Novyï, Grand Maître de la Confrérie des Loups et prieur du monastère Ipatiev, décrète la condamnation à mort du sénéchal et Chef de meute Arkadi Klimentinov. Cet ordre est immédiat et définitif. Quiconque tentera d'aider l'ancien Loup Arkadi Klimentinov se verra puni, soit par rétrogradation, soit par la mort.

Obéissance, Dévotion et Discipline.
Raspoutine-Novyï
Grand Maître

Le sceau rouge représentant le symbole de la confrérie attestait l'identité ainsi que le plein pouvoir incontestable de l'auteur de la missive.

Le soir commençait à tomber, et les ombres infiltraient déjà les recoins du salon où se trouvaient les deux compagnons. Ils demeurèrent un bon bout de temps ainsi prostrés, anéantis, incapables d'agir. Comme pour respecter leur chagrin, un profond silence les entourait, et on aurait dit qu'ils étaient seuls dans le prieuré pourtant grouillant de vie. Pas un bruit ne vint déranger leur recueillement.

Sevastian, le regard inquiet, sentait bien contre sa poitrine les profonds mais trop silencieux sanglots d'Ekaterina. Elle pleurait, mais la crise semblait passée et faisait place à un profond abattement. Il avait d'abord pensé qu'elle éclaterait de colère après les pleurs, qu'elle injurierait et menacerait Raspoutine une fois qu'elle aurait épuisé ses larmes, mais il n'en était rien. Pourtant, Ekaterina était une femme de caractère, c'était une Louve, et son tempérament bien trempé n'était inconnu de personne. De plus, le moine lui en avait déjà assez fait voir pour provoquer chez elle une colère digne d'un dieu. Mais c'était tout le contraire qui se produisait, elle semblait maintenant accepter cette décision avec docilité. Une neutralité désarmante avait suivi les pleurs. Le Chef de meute sentait bien que la femme lâchait prise comme si elle se réfugiait dans un autre univers, dans un monde sans douleur. Malgré tout le respect qu'il avait pour elle, il décida de sonder son esprit à la recherche de la moindre étincelle de rébellion, mais n'y trouva que du désarroi et une profonde détresse. Ekaterina baissait les armes, elle capitulait devant l'ennemi.

Bien qu'il fût consterné, le Loup comprenait le renoncement de sa sœur d'armes devant cette nouvelle épreuve. Sa vie n'était que pleurs, déceptions et souffrances, et ce, depuis des mois et des mois. La mort de son père, Gregori, suivie de celle d'Iakov, presque un deuxième père pour elle, l'attaque de Viktor par le carcajou, le départ de l'enfant pour la capitale, l'agression d'Arkadi et cette douloureuse affaire d'empoisonnement dont elle avait fait les frais. Bien entendu, Arkadi ne l'avait jamais accusée de quoi que ce soit, il n'avait pas douté d'elle un seul instant, mais elle ne pouvait s'empêcher de songer que c'était elle et personne d'autre qui avait versé quotidiennement le poison qui assassinait à petit feu celui qu'elle aimait. C'était par sa main, par ses soins journaliers, que la vie de son amant avait été mise en péril. Si le Chef de meute n'avait pas été aussi fort physiquement, il aurait trépassé. Et ça, elle ne parvenait toujours pas à se le pardonner. Il lui faudrait du temps pour y parvenir. Et maintenant, elle apprenait de la plume de son ennemi que son amour était condamné à mort.

C'en était trop. Ekaterina baissait les bras.

Sevastian resserra son étreinte comme pour lui donner un peu de sa force, pour la protéger aussi. Il comprenait que cette nouvelle était celle qui venait saper le peu d'énergie qui restait à la Louve et qu'il devait trouver quelque chose à quoi la rattacher. Il ne pouvait la laisser sombrer.

Il relut encore une fois la missive, agacé par le fait qu'elle fût directement adressée à la Louve, non au conseiller Vsevolov ou encore à un autre Chef de meute de la troisième ou quatrième génération. Nul doute, Raspoutine avait souhaité viser directement la femme en lui adressant ce courrier. Il avait cherché à atteindre Ekaterina afin de mieux nuire à Arkadi.

Ses yeux erraient sur l'écriture fine du prieur, s'arrêtant au hasard sur certains mots, lorsqu'il comprit quelque chose qu'ils avaient occulté à leur première lecture, à cause de la nouvelle et des sentiments qu'elle avait générés et qui avaient pris toute la place dans leur esprit.

— Ekaterina, écoute-moi, dit-il en la repoussant doucement pour fixer ses yeux verts et capter ainsi son attention.

La Louve avait le regard éperdu, ses yeux étaient rougis ; ses traits, tirés ; ses cheveux, en bataille ; mais malgré cela, le Loup ne put s'empêcher de la trouver belle. Même dans la tempête, il se dégageait d'elle une beauté suave et animale.

— Écoute, Ekaterina... Écoute ceci : « Moi, Raspoutine-Novyï, Grand Maître de la Confrérie des Loups et prieur du monastère Ipatiev, décrète la condamnation à mort du sénéchal et Chef de meute Arkadi Klimentinov. Cet ordre est immédiat et définitif. Quiconque tentera d'aider l'ancien Loup Arkadi Klimentinov se verra puni, soit par rétrogradation, soit par la mort. »

La femme le fixait avec une certaine attention, mais il était clair qu'elle n'entendait pas ce que lui disait le Loup.

— Comprends, Ekaterina... Cette lettre ne prétend pas qu'Arkadi est mort, mais bien qu'il s'est enfui. Il est clair qu'il est parvenu à fuir. Je suis certain qu'il a vu clair dans le jeu de Raspoutine et qu'il a soigneusement planifié les événements au cas où ça tournerait mal... Il ne se ferait pas prendre comme ça, pas Arkadi, voyons. Écoute ce que je dis. Si le prieur nous envoie cette missive pour nous mettre en garde contre toute aide que nous pourrions lui apporter, c'est qu'au moment où il écrivait ces mots, Arkadi lui avait échappé. Ekaterina, je pense qu'Arkadi est toujours vivant, j'en suis même persuadé !

Mais la fille de Gregori ne réagit pas aux paroles sensées de son compagnon. Son regard hagard n'était plus qu'absence et abandon.

Sevastian comprit qu'il ne pouvait rien faire pour le moment, qu'elle devait se reposer. Il la prit doucement dans ses bras, décidé à la ramener dans ses appartements. En sortant du salon, il bouscula Iziaslav, le père de Vadim, qui sembla visiblement surpris de voir le Loup transportant dans ses bras la femme d'un autre frère. Car même s'ils n'étaient pas officiellement mariés, Arkadi et Ekaterina formaient pour leurs congénères un couple au sens propre du terme. Le mariage n'était pas une obligation dans la confrérie, puisque chaque Loup devait avant tout dévouer sa vie à la communauté et à sa mission.

— Ah, Iziaslav ! Tu tombes bien. Fais quérir le médecin et rejoignez-nous dans les appartements d'Ekaterina. Fais vite, c'est urgent !

Sans attendre, Sevastian se mit à gravir les marches de pierre qui menaient vers les chambres et les dortoirs. Il déposa la femme sur son lit avec une infinie douceur et un profond respect avant de remonter la couverture sur ses épaules. Elle ne parlait pas, ses yeux fixaient toujours le vide et, pendant une seconde, le Loup se demanda si elle n'était pas en train de perdre l'esprit.

Il se pencha vers elle et plongea son regard bleu ardoise dans le sien. Pendant un moment, il la regarda avec une grande intensité. Il pénétra encore plus loin dans son esprit afin de mieux comprendre ce que vivait la femme, mais la Louve ne réagit pas davantage. Aucune barrière mentale ne se dressait devant cette intrusion. Sevastian lisait en elle, devinait ses pensées et sondait son esprit comme il l'aurait fait avec n'importe qui. Elle le laissait faire, son regard vert flottait entre deux mondes, dans un endroit où la réalité et l'imaginaire n'étaient vaguement rattachés entre eux que par une faible étincelle de conscience.

Le Chef de meute décrocha en clignant plusieurs fois des yeux. Tout en se mordant la lèvre inférieure, il replaça quelques mèches de cheveux de la femme sur l'oreiller, comme pour rendre hommage à sa beauté. Deux petits coups à la porte le prévinrent que le médecin était arrivé. Celui-ci entra sans attendre que l'on vienne lui ouvrir, suivi d'une gouvernante et du père de Vadim. Sevastian se leva prestement pour aller à la rencontre du praticien.

— Docteur Yamirkovov, merci d'avoir fait aussi vite.

— De quoi s'agit-il ? demanda l'homme âgé d'une soixantaine d'années en se dirigeant d'un bon pas vers le lit où reposait la Louve.

Il connaissait tout le monde au monastère puisqu'il était le médecin officiel du prieuré depuis plus de trente ans. Les Loups seuls constituaient sa clientèle, et il n'était pas autorisé à soigner d'autres personnes. Cela faisait partie de l'entente qu'il avait passée avec eux bien des années auparavant. Il y avait trois décennies que l'homme était au service des Loups et, malgré tout ce temps passé avec eux à les soigner, il ignorait toujours en quoi consistait leur existence et ce qu'ils faisaient exactement. Yamirkovov aurait bien aimé savoir quel était précisément le rôle de cette mystérieuse confrérie, mais on le payait fort généreusement pour son silence et sa discrétion. Lorsque Gregori Bogdanovitch, le Grand Maître de l'époque, lui avait offert de travailler pour eux, ce furent là les deux conditions à son embauche : la discrétion et le secret absolu sur ce qui se passait entre les murs du monastère. L'homme avait accepté non seulement en raison de la généreuse offre que lui faisait le prieur, mais aussi dans l'espoir de découvrir ce qui se tramait au sein de ce monastère des plus étranges. Mais même après tout ce temps, il devait s'avouer qu'il n'avait pas découvert grand-chose. Le mystère, aux yeux du médecin, demeurait entier.

— Je crois qu'elle sombre dans une profonde léthargie... Vous pouvez faire quelque chose ?

Une grande anxiété émanait de la voix de Sevastian, ce qui n'échappa pas aux personnes qui se trouvaient là.

— Que s'est-il passé pour qu'elle soit dans un tel état ? demanda Yamirkovov en écartant les paupières de la femme pour examiner ses pupilles.

— Elle vient de recevoir une mauvaise nouvelle. Une autre, précisa comme pour lui-même le Loup. Comme vous le savez, elle les accumule depuis longtemps et celle-ci était de trop.

— Les nerfs..., répondit l'homme de science. Oui, oui, certainement... Bon, je vais l'ausculter pour en être certain... Messieurs, veuillez sortir, je vous prie. Vous, restez, lança le praticien en jetant un regard à l'imposante gouvernante qui attendait en retrait, près de la porte d'entrée.

La femme d'une majestueuse corpulence, au visage typé des poupées slaves, devait avoir une trentaine d'années. Elle s'appelait Masha. Elle avait été, avant de devenir gouvernante, la nourrice de certains Louveteaux, dont Viktor et Sofia. La femme, mariée très jeune, s'était retrouvée veuve peu de temps après et ne s'était jamais remariée. Elle avait toujours vécu au monastère, comme sa mère et sa grand-mère avant elle. Sa vie était liée à la confrérie, même si elle n'en était pas réellement un membre. Comme certaines personnes qui vivaient dans le prieuré et qui œuvraient à son bon fonctionnement, Masha avait sa place et participait à la bonne marche de l'ordre, à sa façon. Elle ne disait jamais rien, d'ailleurs on ne lui demandait pas son avis. Pourtant, elle était toujours là. Si on lui avait porté attention et si on s'était intéressé à ce qu'elle savait, on aurait appris qu'elle connaissait bien des secrets et qu'elle avait vu et entendu bien des intrigues se tisser. Invisible, elle devait l'être, ainsi que tous ceux qui travaillaient comme elle au sein de la communauté, et pourtant ces gens formaient un réseau formidable d'espions pour qui savait reconnaître leur utilité.

Masha fit un pas en avant pour indiquer qu'elle avait compris l'ordre de Yamirkovov et qu'elle se mettait à sa disposition.

Sevastian, résigné, sortit dans le couloir pour attendre en compagnie de l'autre Chef de meute. Il venait tout juste de refermer la porte lorsqu'un jeune garçon vêtu du traditionnel nankin de couleur écrue et d'un large pantalon s'approcha de lui.

— Je vous cherchais, dit-il simplement en lui tendant un pli.

Un autre !

— Merci, dit le Loup en prenant la lettre et en la gardant à la main.

Il n'osait l'ouvrir, comme s'il pressentait une autre mauvaise nouvelle. Il percevait à travers le papier les ondes négatives que la missive dégageait, et il aurait souhaité pouvoir la donner à quelqu'un d'autre. Mais en l'absence de Raspoutine et d'Arkadi, la place de sénéchal lui était officiellement revenue. Il ne l'avait pas demandée, mais Arkadi l'avait officiellement désigné en quittant le monastère pour Petrograd, tout comme l'avait fait Raspoutine avec lui lors de son propre départ. Sevastian fixait le pli, le tournant et le retournant entre ses doigts tandis qu'Iziaslav le regardait faire.

— Tu n'ouvres pas ? lui demanda-t-il, un peu intrigué.

Sevastian leva les yeux vers lui et le dévisagea un instant, quand enfin il brisa le sceau qui en assurait la confidentialité. Il inspira un coup avant de lire la lettre qui provenait de Tania Miroslava, une Chef de meute partie en mission à Moscou il y avait de cela deux mois, avec quelques Loups, sous ordre du Grand Maître.

Moscou, le 17 juillet 1914

Chers frères et sœurs de la confrérie,

Il m'est confié la lourde tâche de vous faire part d'une horrible nouvelle qui vient de nouveau secouer notre communauté : le décès du Chef de meute Martinovitch[2]*. Ce drame est survenu au cours d'une de nos missions à Moscou. Notre frère est mort en Loup, avec toute la dignité de son rang.*

---

2. Rappelons que Martinovitch était un des cinq prétendants au titre de Grand Maître.

Je suis meurtrie de vous annoncer cet événement par missive, j'aurais préféré le faire de vive voix et pleurer à vos côtés sa disparition. Notre communauté est en deuil. Que Dieu veille sur son âme et sur nous.

Tania Miroslava,
Chef de meute

Sevastian passa sa large main sur ses yeux. Cette fois, il ne parvint pas à retenir les larmes qu'il sentait monter en lui depuis l'arrivée du pli concernant la condamnation d'Arkadi. Les événements étaient désastreux. Il lui semblait que le monde ne tournait plus rond et que les mauvaises nouvelles se succédaient, jour après jour, sans que quiconque ait le temps de les assimiler.

Depuis la mort de Gregori, la confrérie était en débandade et plus rien n'était comme avant. Pourtant, elle n'était pas loin, cette époque où la communauté se portait bien et où ses membres effectuaient leurs missions dans l'honneur, l'obéissance et la dévotion. Ce temps béni où tous les défenseurs de la confrérie, ces guerriers du bien, marchaient du même pas, dans un seul et même but : le maintien de l'ordre.

Mais force était de reconnaître que depuis l'arrivée du moine Raspoutine-Novyï à la tête de la confrérie, plus rien n'allait, et certains parallèles étaient peut-être à faire avec les rébellions et l'insatisfaction du peuple russe. Les Loups avaient toujours su mater les dissidents, agissant avec promptitude, dans l'ombre, et étouffant dans l'œuf le moindre soubresaut de désobéissance, la moindre idée de changement. Depuis l'établissement de l'ordre plusieurs siècles auparavant, la Russie était en évolution constante et rayonnait sur le plan international. Son influence n'avait eu d'égale que celle des grandes capitales européennes. Mais depuis quelque temps, les choses ne tournaient plus aussi rondement, et il lui semblait bien que les intérêts du Grand Maître passaient avant ceux de la confrérie et, surtout, avant le respect de l'ordre établi.

Bien entendu, les Loups agissaient toujours aussi efficacement et les attentats contre le tsar étaient encore et toujours évités avec succès, mais il était évident que tout n'était pas sous contrôle et que, en certaines occasions, on avait trop tardé à agir. On arrêtait les assauts, mais on n'arrivait plus à anéantir la source de ces attaques. La vague de mécontentement qui déferlait maintenant sur la Russie était devenue presque impossible à freiner. Par le passé, les attentats étaient démantelés jusqu'à la base et rien n'était laissé au hasard. Mais maintenant, les Loups ne parvenaient plus à éliminer complètement la menace. Ce triste constat s'étendait aussi à l'ensemble de la confrérie. Le Grand Maître et son autorité suprême ne représentaient plus le pilier central de la communauté. Trahisons, espionnage, désobéissance, tentatives d'empoisonnement et de meurtre avaient cours maintenant entre les murs du monastère Ipatiev, et bien que plusieurs ignorassent encore ce qui se tramait au sein de l'ordre, l'ambiance n'était indéniablement plus la même. Un air de changement soufflait sur l'empire russe et sur ses dirigeants, et l'on pouvait se demander comment tout cela allait se terminer.

« Mais quand donc va cesser cette période de malheur qui s'étend sur la Russie et sur la communauté ? » se demandait Sevastian, accablé.

Iziaslav le dévisageait, intrigué par le visage déconfit de son frère et par son terrible silence. Il posa un bras réconfortant sur son épaule, même s'il ignorait encore de quoi il retournait. Ce geste eut pour effet de ramener le Loup à la réalité.

Sevastian replia la lettre avant de la glisser dans la poche de son pantalon. Il renifla bruyamment avant de plonger ses yeux bleu ardoise dans ceux de son frère d'armes qui, lui, le dévisageait, le regard anxieux. Il hésitait, mais songea que cela ne servait à rien de reporter cette triste annonce et que la nouvelle devait être connue de tous. Elle ne lui appartenait pas.

— C'est un pli de Tania... Martinovitch est mort ! laissa-t-il tomber sans préambule.

Le Loup ouvrit de grands yeux, totalement ahuri. Il demeura muet pendant un long moment, le temps d'assimiler la nouvelle. Les deux Chefs de meute ne trouvaient rien à dire, et d'ailleurs les paroles étaient bien inutiles dans de telles circonstances. Rien, aucun mot, aucune phrase ne pouvait adoucir l'annonce de la mort, et surtout pas amoindrir la peine que celle-ci générait. La mort était la mort, le néant, et n'avait pas de sentiments, si ce n'est le chagrin qu'elle causait aux vivants.

Iziaslav ne demanda même pas de quoi était mort l'ancien Chef de meute qui avait failli accéder au poste de prieur. La façon dont il était décédé n'avait, à ses yeux, aucune importance ; il n'était plus, voilà tout. Ce qui restait, c'était le vide qu'il laissait dans la communauté en tant que frère, en tant que modèle et en tant que Chef de meute de la troisième génération. Youri Martinovitch avait été un homme bon, pourvu d'une grande âme et d'une culture incroyable. Il aurait fait un excellent Grand Maître si le sort en avait décidé autrement.

Quelques secondes s'écoulèrent ainsi, tous deux observant un profond silence par respect pour cet homme qu'ils avaient côtoyé depuis leur arrivée au sein de la confrérie, alors qu'ils n'étaient que des nouveau-nés. Martinovitch n'avait pas été le père adoptif d'un Louveteau ;

le sort ne l'avait pas désigné, mais il avait été un ami et un grand frère pour de nombreux Loups.

À son tour, Sevastian posa sa main sur l'avant-bras de son compagnon d'armes.

— Viens, Iziaslav, nous devons réunir nos frères et sœurs et leur transmettre cette terrible nouvelle. Je crois qu'il est également temps de vous mettre au courant de certaines choses importantes, annonça Sevastian après avoir repris ses esprits. Toi, dit-il en pointant de son index le jeune garçon qui venait de lui remettre la lettre et qui attendait les ordres, tu restes ici et tu diras au docteur Yamirkovov de m'attendre dans le scriptorium lorsqu'il aura terminé. Autre chose : tu gardes pour toi ce que tu viens d'entendre. Ekaterina ne doit rien savoir, tu m'as bien compris ? Si tu parles, je te punirai moi-même de cent coups de fouet. C'est clair ?

Le gamin opina de la tête avec énergie, terrorisé par l'attitude soudainement brusque de ce Loup qui était habituellement si doux. Sa menace avait pour ainsi dire plus de poids que si elle avait été prononcée par quelqu'un d'autre. Le garçon se tassa sur lui-même, entièrement soumis. Sevastian n'en doutait pas : ce jeune ne parlerait pas, même sous la torture ! Si les événements n'avaient pas été aussi tristes, le Loup en aurait ri de bon cœur.

Sevastian jugeait qu'il était préférable de ne rien dire à Ekaterina tant et aussi longtemps qu'elle ne serait pas remise du drame qui venait de la frapper, encore une fois. La Louve vivait des jours sombres depuis longtemps maintenant, et son ami et frère savait qu'elle devait être mise à l'abri pendant un temps. Lui et la confrérie devaient la protéger du mieux qu'ils le pouvaient et le temps qu'il le faudrait. En attendant, il devait prendre en main les rênes du monastère et agir.

Les Chefs de meute s'éloignèrent aussitôt, laissant le jeune devant l'appartement d'Ekaterina, où il devait attendre le praticien.

Chemin faisant, Sevastian revenait aux derniers événements et à toute cette tourmente qui s'abattait sur leur ordre. Il repensa également aux raisons qui avaient poussé Arkadi à partir sans en avoir reçu l'autorisation et, surtout, au fait que son ami avait délibérément choisi de désobéir à ce en quoi il croyait le plus au monde. Cela voulait-il dire que ses motivations allaient au-delà de ses propres convictions et des objectifs de l'ordre? Cela ne ressemblait en rien à l'Arkadi Klimentinov qu'il connaissait, le meilleur des Loups de la confrérie.

Sevastian comprenait maintenant que son ami avait désobéi aux règles de la confrérie et il saisissait même l'urgence d'agir, mais il ignorait toujours quoi faire et surtout par où commencer.

Il pressentait néanmoins qu'il devait faire quelque chose, qu'il était temps pour lui aussi de passer à l'action. Dans un premier temps, il lui fallait informer les autres membres de la confrérie des événements qui avaient eu lieu au cœur même de leur organisation ; ensuite, il se mettrait en quête de son frère d'armes et tenterait de l'aider. Il allait lui aussi désobéir aux lois de son ordre, mais il était convaincu que c'était ce qu'il devait faire. Arkadi se terrait quelque part et ce n'était pas lui, Sevastian, qui allait exécuter les ordres de Raspoutine. En ce qui le concernait, il n'était plus, à compter de cet instant, le Grand Maître de sa confrérie.

Chapitre 8

La tempête soufflait avec violence et le vent glacial infiltrait son corps, malgré ses vêtements de laine bouillie et son long manteau de fourrure. Elle avait si froid que ses membres ne répondaient plus. Elle cherchait désespérément un refuge, un endroit où se mettre à l'abri. Mais tout ce qu'elle parvenait à distinguer était ces rafales de neige qui s'élevaient et tourbillonnaient tout autour d'elle, l'enveloppant de froidure et formant une farandole de poudrerie. Elle ne voyait rien, ni les arbres ni même le lieu où elle se trouvait. La femme tentait de discerner son environnement en cherchant quelque point de repère, mais elle ignorait même si le jour était levé ou si c'était toujours la nuit. Elle leva les yeux au ciel, mais la seule chose qu'elle aperçut fut un rideau opaque parsemé de fins flocons qui voltigeaient furieusement dans tous les sens. Égarée et désorientée, elle avançait tout de même, avec difficulté, au hasard de ses pas. Elle n'avait pas d'autre choix si elle ne voulait pas mourir gelée. S'arrêter signifiait mourir. Le froid se saisirait d'elle aussi rapidement que la neige la recouvrirait. La femme luttait, mais elle sentait la fatigue la gagner. Chaque pas lui demandait un effort extrême et une concentration énorme.

Soudain, elle entendit à travers les sifflements hostiles de la bise le hurlement sourd et singulier d'un loup. Elle se retourna avec lenteur pour voir la bête, dont les contours se détachaient très nettement à travers cette poudrerie blanche qui semblait tout absorber. Le loup se trouvait à quelques pas d'elle. Ses yeux étaient aussi noirs que l'enfer, et son poil, si foncé qu'il renvoyait des reflets bleutés. La neige ne semblait pas se déposer sur la fourrure brillante et fournie de l'animal, comme si sa présence n'était pas réelle.

« Peut-on avoir des hallucinations dans un désert de neige et de froid, comme en plein cœur du Sahara, au milieu de ses dunes de sable, ou suis-je en train de perdre la tête ? La mort me gagne déjà... », songea la femme sans pouvoir contenir le frisson qui lui remonta l'échine, puis parcourut le reste de son pauvre corps transi.

Mais la bête fixait avec une telle intensité cette femme qui s'était égarée dans ces steppes de Sibérie qu'elle sentit monter en elle une peur qu'elle ne parvint pas non plus à contrôler. Pourtant, elle avait l'habitude des loups, elle les côtoyait tous les jours, elle vivait avec eux, elle les connaissait, elle était elle-même une Louve. Mais celui qui se trouvait devant elle avait quelque chose de terrifiant, quelque chose de démoniaque. Il n'était pas comme les autres ; d'ailleurs, il ne faisait pas partie de sa meute, de son clan, elle ne le connaissait pas.

Il fit un pas dans sa direction et elle recula d'autant. Une joute s'engageait entre eux, mais l'errante devinait que cette lutte macabre était perdue d'avance, qu'elle avait bien peu de chances de s'en sortir vivante. En réalité, elle n'en avait aucune. Cette bête était trop cruelle, elle le lisait dans ses yeux. Tout son être dégageait une rage si violente que dans son regard malveillant brillait la menace de sa propre mort. La femme remarqua alors que les yeux de l'animal changeaient pour prendre une couleur bleu acier, plus froide encore que le frimas qui se formait sur la rivière, plus fielleuse que la froidure qui l'envahissait et plus inhospitalière que cet abîme de glace où elle errait. L'animal semblait dépourvu de vie, de chaleur, comme s'il était l'incarnation même de la mort.

La femme le fixa tout de même avec toute la bravoure dont elle était capable. Même si elle savait que le duel était inégal, elle combattrait jusqu'à son dernier souffle en digne guerrière qu'elle était. Elle inspira profondément pour se donner du courage. Le froid l'engourdissait, et elle songea que c'était là une chance, au fond, puisqu'elle ne sentirait peut-être pas les crocs de l'animal quand il lui sauterait à la gorge.

Le loup pencha légèrement la tête en avant tout en soutenant de son regard glacial celui de sa proie qui, elle aussi, continuait à le fixer. Il retroussa ses babines, découvrant ainsi ses impressionnantes canines parfaitement acérées. La femme devinait qu'il s'apprêtait à bondir, qu'il allait se jeter sur elle. Ses yeux bleu acier trahissaient clairement ses intentions. Elle prit une autre inspiration, profonde et résolue, avant de fermer les yeux, se préparant ainsi à subir le premier assaut du loup. Elle se battrait, mais elle savait que le combat serait de courte durée. Elle allait mourir. La femme avait toujours espéré une autre fin, une mort plus héroïque dont bravoure et éclat marqueraient les esprits et graveraient à leur mémoire ses talents de combattante. Mais elle n'avait rien pour se défendre, si ce n'était ses mains à demi gelées.

L'égarée attendit, mais il ne se passa rien. Elle patienta quelques instants avant de se décider à ouvrir les yeux et à regarder. Devant elle, le loup qui s'était apprêté à la tuer avait disparu. À sa place, un jeune louveteau au pelage blanc était assis, la fixant attentivement. Son regard bleu ciel était aussi doux qu'une journée de printemps.

La femme regarda autour d'elle, mais ne vit rien, aucune trace de l'autre loup. Même la tempête semblait perdre de son intensité. Le vent se faisait moins violent et la neige se transformait en de gros flocons. Soulagée, elle voulut s'approcher. Elle se sentait confiante, irrésistiblement attirée par cette magnifique bête très calme et apparemment bienveillante. Mais brusquement, l'image de celle-ci se dissipa pour totalement disparaître.

Ekaterina ouvrit subitement les yeux. Sa chambre était plongée dans le noir. Seule une bougie posée sur sa table de chevet renvoyait une faible lumière dans la pièce, éclairage ténu qui ne servait en réalité qu'à veiller la malade lors des tours de garde organisés par ceux de sa confrérie. Elle avait le regard fixe, dénué de volonté. Ses cheveux collaient à son front moite, elle était en nage. Reprenant tranquillement ses esprits, elle se demanda alors ce que pouvait bien signifier cet étrange rêve qu'elle venait de faire. Car il s'agissait bien d'un rêve, aussi réel que cette scène avait pu lui paraître.

La Louve ferma les paupières dans une extrême lenteur, comme si elle était épuisée et souhaitait se rendormir. Mais le calme qui l'entourait l'empêcha de sombrer dans le sommeil. Le monastère était terriblement silencieux, trop silencieux pour qu'elle puisse dormir en toute quiétude. Et ses pensées, maintenant qu'elle était réveillée, prenaient toute la place. Ekaterina en conclut qu'il devait être tard, probablement en plein cœur de la nuit. Ses yeux demeuraient fixes et n'exprimaient aucune vigueur, elle était aussi faible mentalement que physiquement, comme si on l'avait entièrement vidée de son énergie vitale.

Migraineuse et nauséeuse, elle ne fut pas longue à comprendre qu'elle avait certainement été droguée. Les événements lui revenaient en mémoire, et sans chercher à retenir ses larmes, elle se mit à pleurer tout son soûl sur l'horrible nouvelle qui l'habitait entièrement et lui enlevait toute raison de vivre : la mort évidente d'Arkadi.

Les ordres de Raspoutine étaient on ne peut plus clairs, et à l'heure qu'il était, son valeureux amant avait certainement été envoyé dans l'autre monde. On n'échappait pas aux Loups, et c'est ce qui avait toujours fait leur force depuis la création de la confrérie, onze siècles auparavant. Oui, Arkadi gisait certainement quelque part dans un fossé ou au fond d'une rivière, sans sépulture, sans avoir reçu les derniers sacrements. Sans qu'elle lui ait dit au revoir.

Ekaterina tira le drap de lin par-dessus sa tête pour y enfouir ses pleurs et s'y recroqueviller. À l'aide d'un bout de l'étoffe, elle essuya les larmes qui inondaient son visage. Elle était seule, mais en éprouva presque de la satisfaction. La Louve n'avait pas envie de compassion, elle ne voulait pas être réconfortée, ni qu'on lui dise que tout irait bien ; elle voulait qu'on la laisse vivre son chagrin en paix. Elle souhaitait le goûter pleinement, plonger en lui et l'absorber dans sa totalité. Ne faire qu'un avec le mal qui envahissait son corps et son esprit. Le visiter dans ses moindres recoins et tenter après cela de peut-être retrouver le chemin qui la ramènerait tranquillement vers le monde des vivants. Elle pleura donc, amplement et en silence, comme un long témoignage d'amour à celui qui avait toujours été à ses côtés. Elle ne ressentait même pas le besoin de crier, elle n'éprouvait aucune colère, elle ne voulait que pleurer. Se laisser porter par cette peine jusqu'à ce que celle-ci l'entraîne au-delà des limites permises.

Mais parfois, le désir de remonter à la surface est plus fort que la volonté de demeurer au fond, et ce, malgré l'immense douleur qui nous habite. L'instinct de survie s'impose malgré notre désir de l'ignorer. On ressent alors l'horrible impression de trahir l'autre, mais en réalité, c'est lui rendre hommage que d'affronter la vie en sa mémoire. Ekaterina rabattit le drap et arrêta soudain de sangloter, comme si elle avait épuisé les larmes destinées à cette tragédie. Elle avait tant pleuré depuis des années ! Par la fenêtre de sa chambre, elle apercevait la lune qui était presque pleine. Étendue sur son lit, elle la contempla, le regard et l'esprit vides.

Elle tendit la main vers la table de chevet où une cruche d'eau fraîche et un gobelet étaient posés. Elle but deux verres à grandes lampées avant d'essuyer sa bouche du revers de la manche de sa chemise de nuit.

Elle se leva ensuite avec difficulté, puis se dirigea vers la salle de bains en titubant et en se tenant aux meubles. Les drogues, visiblement, agissaient encore.

« Depuis combien de temps suis-je plongée dans cet état presque comateux ? » se demanda-t-elle en s'appuyant au chambranle de la porte de sa salle d'eau. Elle éprouvait le besoin de se débarbouiller, de se laver le visage à l'eau froide, de sécher ses cheveux et de changer sa chemise de nuit imbibée de transpiration. Elle sentait le besoin de refaire surface.

« Quel jour sommes-nous, quelle heure est-il ? »

Ses pieds sur les carreaux glacés lui transmirent une onde de bien-être. Changée et séchée, elle retourna lentement vers son lit, lorsqu'elle aperçut, sur son oreiller encore tiède et tapé, une lettre. Elle regarda autour d'elle ; personne. Aussi rapidement que pouvaient le faire son corps et son esprit encore groggy, elle s'élança jusqu'à la porte de son appartement qu'elle ouvrit brusquement pour regarder dans le couloir, mais évidemment, il n'y avait personne. Songeuse, elle revint dans sa chambre jusqu'à son lit, où elle prit la lettre qu'elle examina attentivement. Celle-ci ne portait aucune indication. Elle remarqua seulement que le papier était de grande qualité. Sans plus attendre, elle la décacheta.

Dame Ekaterina, sœur d'armes,

Vous ne me connaissez pas, mais le jour viendra où je me présenterai à vous. Considérez-moi comme un ami, un frère, car je ne souhaite que votre bien, comme celui de notre communauté. Je suis un Loup, comme vous avez pu le comprendre, mais par souci de sécurité, je ne peux vous dévoiler mon identité pour le moment. Je vous écris, car je conçois l'immense peine qui vous submerge depuis l'annonce de la condamnation à mort d'Arkadi par le Grand Maître lui-même. Cette sentence est horrible, mais point surprenante, vous en conviendrez. Raspoutine n'attendait que l'occasion de se débarrasser de notre frère en toute impunité, et Arkadi lui-même, dans sa hâte de le voir tomber, lui a fourni les armes pour l'abattre. Il a agi trop précipitamment. Ekaterina, vous ignorez beaucoup de choses, et je saisis parfaitement les raisons ayant poussé Arkadi à vous laisser dans l'ignorance. Je ne vous écris point pour vous instruire de ces raisons, mais sachez que votre protection en était la première. Ne lui en veuillez pas, il vous aime. Ne m'en veuillez pas de me taire, ce n'est pas mon rôle de vous faire ces révélations. Mais un jour prochain, vous connaîtrez toute la vérité.

Je ne puis vous en dire plus, mais je peux vous informer cependant, et c'est la raison pour laquelle je vous écris, qu'Arkadi est sain et sauf et en sécurité, et que personne ne le trouvera là où il se trouve, pas même Raspoutine, pourtant fort bien informé. Veuillez, chère amie, accepter mes plus sincères sentiments et mon amitié qui vous est entièrement acquise.

Le jour n'est plus loin où la vérité éclatera, et ce jour, vous retrouverez celui qui vous est si cher. Alors et seulement, je me présenterai à vous. Soyez sur vos gardes et demeurez vigilante, le monastère abonde d'alliés dévoués aux intérêts du moine.

Un ami, un frère.
Obéissance, Dévotion et Discipline
à notre mission.

Ekaterina essuya du revers de la main les quelques larmes qui lui roulaient encore sur les joues.

« Arkadi est vivant et en sécurité... Merci, mon Dieu, merci. Mais où peut-il se cacher, et qui est ce mystérieux messager ? Comment cette lettre est-elle parvenue jusqu'à moi ? Qui est venu dans ma chambre alors que je me trouvais à la salle de bains ? La chose était bien hasardeuse... à moins que... »

Ekaterina demeura songeuse un moment, tout en se mordillant l'intérieur de la lèvre.

« "Obéissance, Dévotion et Discipline à notre mission"... Étrange que cet informateur secret ait pris soin de souligner cette formule. Cherche-t-il à préciser sa dévotion envers la confrérie plutôt qu'envers Raspoutine ? »

La Louve relut plusieurs fois la missive afin de se nourrir de toute l'énergie positive qu'elle dégageait. Elle en avait tant besoin, et cette lettre lui injectait une soudaine volonté de vivre et de combattre. Elle se leva pour s'approcher de la cheminée, où le feu était éteint. Elle craqua une allumette dont elle contempla la flamme une seconde avant de l'approcher de la précieuse lettre. Elle hésita un bref instant — le pli lui faisait tellement de bien —, mais elle approcha la flamme du papier et le laissa s'embraser tranquillement. Même blessé, un Loup ne devait pas oublier les règles de base servant à assurer sa propre sécurité et celle de la confrérie. Devant ses yeux rougis, le courrier se consuma, et la fille de Gregori y puisa une dernière fois l'espoir qui lui avait tant manqué durant ces longs mois. Elle devait se reprendre en main. Pour commencer, elle devait écrire à Viktor. Car si elle avait été dévastée par le décret de Raspoutine, le Jeune Loup, lui, devait être anéanti. Elle était maintenant plus décidée que jamais. Non seulement elle allait écrire au Jeune Loup, mais elle venait également de prendre une décision qui allait mettre en mouvement certains changements.

Ekaterina avait trop longtemps laissé les événements la guider. Il était grand temps qu'elle se saisisse des rênes de sa vie, qu'elle redevienne la femme de tête qu'elle avait toujours été.

Appartements privés du Grand Maître de la Confrérie des Loups, monastère Alexandre-Nevski, Petrograd

— Je ne comprends pas... Quelque chose m'échappe, mais quoi ? Je ne comprends pas..., se répétait pour la centième fois le moine en arpentant de ses longues jambes le plancher de son appartement.

Le prieur s'y trouvait le plus souvent, préférant ce lieu uniquement habité de moines et de religieux à la commanderie qui grouillait de Loups pour lesquels il devait être disponible en tout temps, et où il devait constamment se surveiller. Sa charge de Grand Maître de la confrérie lui demandait énormément de son temps, sans compter que Nicolas II exigeait qu'il soit présent à la cour presque en permanence. Entre ses fonctions liées à la confrérie, les missions visant à désamorcer les complots contre la vie du monarque et sa présence assidue auprès de la famille Romanov, avec tout ce que cela comprenait de bals, de dîners, de spectacles et de rencontres, le moine avait bien peu de temps pour réfléchir à ses propres affaires. Et bien qu'il aimât cette existence effrénée et toute cette attention qu'il recevait, il devait bien admettre qu'il était d'autant plus long, à travers tout cela, d'atteindre l'objectif qu'il s'était fixé des années auparavant.

Pour y réfléchir, pour déterminer comment il y arriverait, il avait besoin de calme et de silence, et ce lieu saint lui procurait les deux. Sans oublier que son intimité n'était pas la même à la commanderie et, donc, qu'il lui était impossible là-bas de rencontrer Anna Vyroubova ou d'autres femmes quand bon lui semblait. La relation qu'il entretenait avec la demoiselle d'honneur de la tsarine devait demeurer secrète, tant pour elle, qui était mariée au lieutenant Alexis Vyroubova, que pour lui. En tant que religieux, étaler au grand jour ses aventures amoureuses avec une femme mariée n'était pas très indiqué ! Le moine ne cachait pas son penchant pour les femmes, la chair et le vin, qui était connu de tous, mais il devait taire ses liens avec cette femme en particulier. À Alexandre-Nevski, l'accès à ses appartements se faisait par une entrée privée, ce qui lui laissait toute l'intimité et la discrétion dont il avait besoin.

Depuis un long moment, il se repassait sans cesse les événements qui s'étaient déroulés depuis son accession au titre de Grand Maître, et particulièrement ceux des derniers jours. Tout avait été longuement planifié, et tout s'était déroulé exactement comme il l'avait prévu, sans mauvaise surprise et sans imprévu. Pourtant, il s'était avéré que ce Martinovitch n'était pas, lui non plus, le porteur de l'esprit des Anciens. L'embuscade avait été parfaitement préparée et l'esprit aurait dû se manifester, mais rien ne s'était produit. Absolument rien. Le Chef de meute était mort en regardant fixement Raspoutine dans les yeux, abasourdi de découvrir le Grand Maître à ses côtés et ne comprenant rien à ce qui lui arrivait.

— Maître... Que faites-vous là ? avait demandé Martinovitch dans un ultime soupir.

— Je te regarde mourir, avait froidement répondu Raspoutine.

Le moine avait alors espéré et prié pour que l'esprit des Anciens se manifeste et défende son porteur, mais il ne s'était rien produit. Martinovitch était mort sous ses yeux, après plusieurs minutes d'une atroce agonie, pour rien.

Le moine n'en avait éprouvé aucun chagrin ni même le plus petit regret. Mais il avait senti monter en lui une sourde colère. Il avait longuement pesté contre le désagréable sentiment d'avoir perdu un temps précieux à planifier cette embuscade, d'avoir gaspillé des années à chercher ce fichu pouvoir qui lui revenait de droit. Il avait l'impression que depuis le début de cette histoire, il ne parvenait pas à tout maîtriser, et cette constatation le mettait hors de lui. Après tout ce temps, toutes ces recherches, toutes ces tentatives pour comprendre ce qu'était ce secret suprême de la confrérie — que les Loups, ignorant sa nature, protégeaient au péril de leur vie —, et après toute cette énergie employée à le localiser, le moine pensait toucher enfin à son but. Il était devenu Grand Maître pour cela. Depuis ce jour, au mont Athos, où il avait découvert dans ce monastère perdu ces documents parlant d'un trésor unique, il n'avait œuvré que dans le seul et ultime objectif de devenir le maître de ce secret : l'*arcana arcanorum*. Le moine murmura pour lui-même :

— Il est écrit que l'empire renaîtra et que ses héritiers deviendront les maîtres du monde.

Ces seigneurs formeront une alliance sous le règne d'un seul chef religieux charismatique. Texte de Daniel 2, *l'Alliance des seigneurs*, Ancien Testament.

Ce chef charismatique, c'était lui, il en était persuadé. Et pour devenir ce chef, il avait longuement étudié les manuscrits qui s'entassaient dans la bibliothèque du cloître Saint-Panteleimon. Il avait parcouru le monde afin d'apprendre, de se préparer à recevoir ce secret. Il avait appris les langues et étudié des arts oubliés sur la manipulation de l'esprit, la magie blanche et noire, la divination et autres savoir-faire passés. Il avait eu faim et froid, avait vécu dans la pauvreté la plus extrême et avait durement travaillé pour développer et acquérir ces aptitudes. Combien de fois avait-il songé à abandonner, et toujours des passages de certains textes lui revenaient en mémoire, lui insufflant ainsi la foi nécessaire pour continuer. Pour gravir plus rapidement les échelons, il avait employé tous les moyens qu'il connaissait, il avait manipulé des gens, s'était débarrassé de certains et avait même usé de chantage. Entrer dans la confrérie n'avait pas été une mince affaire, et il avait cru que jamais le Grand Maître de l'époque ne permettrait qu'il s'élève dans la hiérarchie.

Gregori Bogdanovitch avait toujours douté de lui, dès l'instant où leurs yeux s'étaient croisés. Le vieux sage n'avait jamais eu confiance en Raspoutine et il avait tenté du mieux qu'il le pouvait de ralentir le moine dans sa quête. Il avait fallu que Raspoutine s'en mêle, puisque Dieu ne semblait pas pressé de rappeler le vieil homme à ses côtés. Il avait donc distillé dans le vin du vieillard, chaque jour, goutte après goutte, le poison qui avait enfin eu raison de lui. Et maintenant, depuis ce jour béni où le magistère était enfin mort, le moine devenu Grand Maître tentait de trouver à qui avait été confié l'esprit des Anciens. Car ce n'est que grâce à cet Esprit qu'il pourrait accéder à la récompense suprême, au secret unique... Mais chaque fois qu'il pensait s'en approcher, il lui échappait, comme si on se jouait de lui.

— Où se cache cette satanée force qui forme la clé qui me donnera accès à ce fabuleux trésor ? Qui détient l'esprit des Anciens ? Qui d'autre que moi distribue les cartes ? Il y a un autre joueur dans cette partie et je ne parviens pas à l'identifier... Dieu Lui-même ? Aaaahhh ! hurla le prieur en frappant de ses deux poings le mur devant lui. Seigneur, je Vous en prie, cessez de Vous jouer de moi ! Ne suis-je pas Votre plus dévoué serviteur ? Que Vous ai-je fait pour que Vous me traitiez ainsi ? Moi qui Vous consacre ma vie...

Raspoutine se laissa tomber sur son lit et, pendant de longues secondes, il fixa le vide devant lui. Il passait sa longue main dans sa barbe hirsute dans un geste automatique.

— Récapitulons encore une fois. La solution se trouve là, quelque part, dit-il une fois calmé. Ce n'est pas Arkadi, ni Martinovitch. Il me reste donc Mirowski, Lebedev et Oulanov, qui étaient les prétendants au titre de prieur et qui se trouvaient en même temps que moi dans la chambre, peu avant la mort de ce vieux fou de Gregori. Mais il y avait également... cette chère Ekaterina, dit-il en tapotant de son index le bout de son nez. Aurais-je eu tort d'écarter la fille de Gregori en pensant qu'elle ne pouvait avoir reçu l'esprit des Anciens, car elle ne possède pas la force nécessaire ? Et si je m'étais trompé ? Et si cette chère Louve était bien celle que les Anciens avaient choisie ? Une Louve à la tête de la confrérie... Oui, oui, après tout, pourquoi pas ? L'idée est singulière, mais elle est parfaitement plausible, et cela ressemble tout à fait aux fourberies de ce vieux singe... Ekaterina... belle Ekaterina ! Est-ce en toi que se cache l'esprit des Anciens en attendant son prochain maître ? murmura le moine pour lui-même en plaçant ses bras derrière sa tête. Je vais devoir vérifier ça...

Satisfait, le magistère s'endormit quelques instants plus tard, un demi-sourire accroché aux commissures de ses lèvres.

Chapitre 9

Bibliothèque de la commanderie des Loups, Petrogad

— Tu sais Viktor, au cours de ma vie et à travers mes voyages, mes études et mes rencontres, j'ai découvert des lignes de pensée, des dogmes et des philosophies qui m'ont fait entrevoir des mondes et des concepts dont j'ignorais tout. Le monde est vaste, et ses mystères, encore plus. *Grazie, Santo Padre*, dit le moine en se signant sous le regard attentif du Jeune Loup. Pour quelqu'un qui sait regarder avec attention les éléments et la vie qui l'entourent, certaines vérités sont à portée de main. Je sais, je sais, je parle de façon hermétique, dit-il encore en voyant le regard intrigué de Viktor qui arquait ses sourcils foncés, mais je ne te demande pas de comprendre ce que je dis, je veux simplement que tu m'écoutes. Tu assimileras tout ça plus tard, quand le temps viendra, au fur et à mesure que tu vivras tes propres expériences, conclut Raspoutine.

Il ébouriffa de sa longue main les cheveux hirsutes du garçon.

— En tant que Loups, poursuivit-il, nous apprenons à maîtriser notre esprit et les forces qu'il peut engendrer s'il est adéquatement utilisé et dirigé. Nos facultés intellectuelles sont plus développées que celles de la majorité des gens, tu t'en es déjà rendu compte à plusieurs reprises durant les quelques missions où je t'ai emmené. Tu as vu de tes propres yeux comment nous contrôlons l'esprit des gens pour leur faire faire ce que nous désirons.

Viktor opina de la tête en signe d'acquiescement, ayant encore en mémoire l'attentat raté de la gare, et se souvenant avec quelle facilité ses frères d'armes étaient parvenus à contrôler l'esprit de cette pauvre femme et de cet homme qui avait voulu s'interposer entre elle et les Loups.

— Bien évidemment, continua le magistère en souriant, ces facultés ne sont pas infaillibles et elles ont leurs limites. Après tout, nous ne sommes pas des dieux ! Mais ces talents très particuliers sont propres aux membres de notre communauté, et ce sont ces aptitudes précises que nous recherchons chez les candidats qui sont admis au sein de la confrérie. Les enfants sont ainsi choisis pour leurs dispositions, et ce, bien avant leur naissance. Tu sais de quoi je parle, n'est-ce pas, Viktor ?

Mais le Jeune Loup n'était pas vraiment certain de comprendre où voulait en venir son maître. Il comprenait de quoi il parlait, mais cernait difficilement où son mentor souhaitait l'amener. Il hésita et fit une grimace en guise de réponse. Le prieur plissa ses yeux gris, le fixant avec attention. Il prit le temps de boire une gorgée du verre de vin qui était posé devant lui avant de poursuivre, la voix un brin teintée d'impatience.

— Viktor, reprit-il, les Louveteaux ne sont pas choisis au hasard ; ils sont désignés par les astres, par le destin, parce qu'ils possèdent les qualités et les aptitudes nécessaires pour être des Loups. Tu comprends ? On ne devient pas Loup, on naît Loup. Tu as certainement remarqué que tu détiens des facultés particulières que les autres jeunes de ton âge ne possèdent pas. Je vais même aller jusqu'à dire que tu as découvert que tu avais certaines forces que peu de gens, même des Loups, possèdent. Est-ce que je me trompe ? As-tu, Viktor, certaines forces que tes frères et sœurs n'ont pas ?

Le garçon semblait réfléchir aux paroles de son Grand Maître. Il prit une seconde avant d'acquiescer lentement à ce que le prieur venait de dire.

— Oui, maître. J'ai ce dont vous me parlez, je possède certaines facultés, mais je ne les contrôle pas encore tout à fait..., répondit Viktor, mi-fier, mi-incertain, car Arkadi lui avait bien dit par le passé de n'en parler à personne, et surtout pas au Grand Maître.

Raspoutine ferma à demi les paupières, satisfait, comme un chat épiant la souris qu'il s'apprête à croquer. Il discernait fort bien les hésitations de son élève.

— Oui, oui, évidemment et je comprends ton embarras. Je suis certain qu'Arkadi, en bon père qu'il est, t'a fait jurer de taire ces talents exceptionnels devant les autres, et il a tout à fait raison. Aller t'en vanter serait une offense envers Dieu et envers notre ordre. Nous ne sommes pas là pour notre gloire personnelle, mais pour servir notre mission. Tu ne dois en parler à personne. Mais tu peux te fier à moi : ton secret sera préservé, je t'en fais la promesse. En tant que Grand Maître, je dois savoir où en sont les Loups dans leur développement, principalement vous, les plus jeunes, chez qui certains dons sont en émergence !

Le Jeune Loup regardait de ses yeux bleu ciel le moine qui lui souriait avec le plus d'amabilité qu'il lui était possible de feindre, et le jeune sentit grandir en lui une confiance envers cet homme qui le traitait avec égard, presque comme son propre fils.

Raspoutine posa sa longue main sur l'épaule de son élève avant de lui dire, en le fixant toujours avec intensité :

— Dis-moi si je me trompe, Viktor, maintenant que tu sais que tu peux me faire confiance : as-tu le pouvoir de contrôler les pensées ?

Viktor approuva par petits coups rapides de la tête, comme s'il craignait de répondre de vive voix.

— Et je suis certain que tu peux contrôler un petit animal, lança le moine, tendant une perche.

— Pas seulement les petits animaux, s'anima enfin l'adolescent. J'ai beaucoup progressé depuis mes débuts... J'ai même tué un carcajou dans la forêt lorsque je passais l'épreuve du Courage, fit le garçon sans tenter de dissimuler plus longtemps la fierté qu'il sentait monter en lui et qui maintenant éclatait aux yeux du Grand Maître.

Raspoutine eut un léger mouvement d'impatience. Arkadi lui avait caché ce fait. Ce maudit Loup se méfiait donc déjà de lui à l'époque. En réalité, il n'était nullement surpris de l'apprendre, il savait depuis toujours que le jeune avait de grandes facultés, mais il ignorait que le garçon avait su les développer à ce point et, surtout, il détestait l'idée qu'on le lui ait caché. Arkadi avait tu les progrès de l'adolescent. Cet homme n'était qu'embûches aux yeux du moine, et la haine qu'il avait à son égard allait en grandissant.

— Oui, oui... Bien sûr, tu as réussi cette preuve dans la forêt en démontrant un grand courage, comme tes frères et sœurs d'ailleurs. Ton père m'en avait glissé un mot dans son rapport. Mais depuis, Viktor, as-tu pu approfondir ce talent ?

— Je m'entraîne chaque fois que j'en ai l'occasion. J'arrive maintenant à contrôler le vol des pigeons qui se trouvent dans le pigeonnier au fond du jardin, même lorsqu'ils sont plusieurs. Il y a quelques jours, je suis parvenu à en diriger dix-sept ! Je leur faisais faire ce que je voulais et ils allaient dans la direction que je choisissais... Alors que je participais à mon entraînement à cheval hier matin, j'ai réussi à guider ma monture sans rênes.

Raspoutine prit un air épaté, ouvrant les yeux pour bien montrer au Jeune Loup qu'il était impressionné. Et quelque part, il l'était. L'enfant avait quelque chose d'attachant, et son émerveillement face à ces petites choses ne laissait pas le prieur totalement indifférent.

— Que sais-tu faire encore ?

— Je sens les vibrations lorsque quelqu'un entre dans une pièce. Je sais quelles sont ses intentions... Je veux dire, je ne les connais pas réellement, mais je les devine, je perçois si elles sont bonnes ou mauvaises... À part pour vous, maître, conclut Viktor en fronçant les sourcils et en baissant la voix, timidement.

Le jeune homme était hésitant, ignorant si sa révélation allait lui attirer les foudres du prieur, mais Raspoutine lui répondit par un sourire.

— Et j'en suis fort aise... Je ne tiens pas à ce que tu devines mes intentions. Après tout, Jeune Loup, je suis le Grand Maître. Je t'autorise à pressentir celles des autres, mais jamais les miennes, tu m'as bien compris, Viktor ?

Son ton se voulait allègre, mais Viktor y décela beaucoup d'autorité.

— Oui, maître, je vous en fais la promesse.

Un court silence s'installa, que le moine rompit d'un signe de la main en invitant Viktor à poursuivre.

— Continue, tu m'intéresses... Je suis captivé par ce que tu me dis. Non ! Non, que dis-je, je ne suis pas captivé, je suis... admiratif ! Voilà ! Dis-moi, tu parviens à deviner les intentions des gens, mais... sais-tu lire dans leurs pensées ?

L'adolescent se redressa, fier des compliments du Grand Maître. Raspoutine était captivé et admiratif !

— Eh bien, pas toujours, mais lorsque je suis en forme et pas trop fatigué, je peux le faire. Mais pas avec tout le monde, précisa-t-il en faisant la moue. Avec les Loups, je n'y parviens pas, mais avec les domestiques et les petites gens, j'y arrive sans problème.

Cette fois, le prieur fixa le garçon avec convoitise. Il savait depuis toujours que le Jeune Loup lui serait un jour utile, mais il ignorait encore en quoi. Dans son esprit machiavélique, le moine entrevoyait maintenant les raisons qui avaient poussé Gregori à faire adopter l'enfant par son propre fils. Ainsi, le vieux singe avait su que Viktor serait un jour Grand Maître à son tour. Il savait qu'il en avait les qualités, et il avait espéré, dans son délire de vieillard, qu'Arkadi formerait l'enfant pour en faire un être bon et entièrement dévoué à la confrérie. Viktor avait les aptitudes pour devenir Grand Maître, et son éducateur ne serait pas cet incompétent d'Arkadi, mais bien lui, Raspoutine.

Les projets qu'avait imaginés ce vieux fou pour l'avenir de la confrérie et sa mystérieuse mission avaient été planifiés sans que soient pris en considération les desseins du moine. Non, Viktor ne deviendrait pas le prieur du monastère Ipatiev, parce que lui, Raspoutine-Novyï, allait prendre le pouvoir. Le garçon allait devenir son disciple et servir sa propre volonté. Bientôt, la confrérie n'existerait plus. Seul demeurerait un pouvoir unique, dirigé par un être unique: lui!

Les yeux bleus du moine se teintèrent d'avidité et d'ambition.

— C'est bien. Je suis très, très fier de toi. Et tu sais quoi ?

Viktor secoua la tête.

— Je vais t'aider à contrôler tes énergies et à développer tes facultés. Nous allons travailler ensemble. Je vais t'enseigner ce que je sais et, à ton tour, un jour prochain, tu m'aideras comme tu le ferais avec ton père.

Viktor eut un sourire candide, toujours aussi fier de voir le Grand Maître de sa confrérie s'occuper personnellement de lui.

— Connais-tu la magie, Viktor ?

— La magie, maître ? Comme Houdini*, ce fabuleux prestidigitateur qui était à la cour l'autre jour et qui a fasciné tout le monde avec ses tours incroyables ? Je revois encore la grande-duchesse Anastasia et son air totalement abasourdi lorsque le magicien est sorti de ce caisson submergé dans l'eau, dans lequel il avait été enfermé, solidement ligoté et menotté, alors qu'elle tenait toujours les clés entre ses mains, précisa en riant le Jeune Loup.

Raspoutine nota l'évocation de la cadette des Romanov et ne put s'empêcher de penser que le jeune Viktor faisait très souvent allusion à la jeune demoiselle. Le Jeune Loup était-il sensible à ses charmes ? Après tout, il avait quatorze ans et la jeune duchesse était tout à fait ravissante. Mais il ne s'attarda pas sur le sujet. Il avait autre chose en tête que ces insignifiantes histoires de cœur, ces premiers balbutiements amoureux qu'il jugea sans importance.

— Non, non, Viktor, pas cette magie-là... La prestidigitation n'est pas une magie à proprement parler ; elle n'est faite que d'illusions, de trucages et d'effets spéciaux. Non, je te parle de la vraie magie, celle des éléments et des énergies qui nous entourent, celle qui donne le pouvoir sur les choses et les êtres ?

Viktor secoua négativement la tête, les yeux ronds, impressionné et captivé par ce que lui racontait celui qu'il considérait de plus en plus comme un père. Non pas de façon émotionnelle, mais plutôt spirituelle. Le Grand Maître avait su se tailler une place de choix auprès de l'adolescent et, graduellement, Viktor découvrait l'homme qu'il était ou, du moins, ce que l'homme souhaitait que le jeune perçût de lui. Le Jeune Loup semblait en vérité fasciné par la personnalité complexe du magistère et par cette aura de mystère qu'il dégageait. Il voyait très bien l'ascendance du prieur sur la famille royale et sur toutes les personnes gravitant alentour, du plus grand au plus humble. On lui demandait conseil, on l'écoutait sans jamais remettre en question ses décisions, on lui obéissait presque avec soumission. L'homme avait un grand pouvoir, et Viktor n'échappait pas à son magnétisme. Raspoutine avait si bien manipulé le Jeune Loup que l'adolescent en était presque venu à oublier les avertissements de son père adoptif concernant le côté obscur de cet homme. Viktor ne voyait pas le Grand Maître comme il était réellement ; d'ailleurs, personne ne connaissait sa vraie nature. C'était là tout le talent de ce fabuleux manipulateur, un talent plus concret et plus subtil que celui de Houdini, le plus grand des prestidigitateurs.

— Je vais t'en enseigner quelques-uns des rudiments, et nous verrons ce que tu peux en faire.

— Je suis prêt, lança avec énergie le Jeune Loup dont les yeux étincelaient.

— Soit ! Alors, commençons ! Pour débuter, tu dois savoir qu'il existe plusieurs formes de magie. La magie blanche, qui se borne à disposer des éléments naturels et des énergies positives qui en découlent. Par exemple, les plantes permettent à ceux qui connaissent leurs secrets, comme cette chère Ekaterina, d'engendrer le bien par la guérison. Les remèdes qu'elle tire des plantes agissent positivement sur le mal tant physique que mental, tu en as d'ailleurs goûté les bienfaits. Tu me suis ?

Viktor opina de la tête.

— Je poursuis donc. Il y a également la magie dimensionnelle, qui est un art complexe où les incantations sont principalement axées sur l'espace et le temps, mais je ne m'étalerai pas sur cette forme de magie pour le moment. Nous y reviendrons plus tard. La plus intéressante des trois, à mon avis, est la dernière : je parle ici de la magie noire. Elle donne à celui qui sait l'exercer de grands pouvoirs sur l'énergie vitale des êtres et un contrôle absolu sur l'esprit, lorsqu'on sait l'utiliser avec intelligence. La magie noire n'est pas une magie facile à acquérir, elle demande de grands sacrifices et de longues heures d'étude. Elle ne se dévoile pas à tout le monde ; seulement à ceux qui font le sacrifice d'un bien très précieux. Mais celui qui l'exerce possède des pouvoirs infinis.

— Des pouvoirs ? s'exclama Viktor.

— Oui, des pouvoirs, Jeune Loup. De grands pouvoirs.

— Et quel est ce grand sacrifice que l'on doit faire pour accéder à ce savoir ?

— Tu dois sacrifier ton âme.

Théâtre Mariinsky, place du Théâtre, Petrograd

La jeune femme, à peine âgée de dix-sept ans, s'avançait gracieusement en pointant le pied à chacun de ses pas de biche. La légèreté avec laquelle elle se mouvait donnait l'impression qu'elle se déplaçait sans le moindre effort, comme si elle avait été une plume se laissant porter par une brise légère. Chacun de ses mouvements était fluide, et elle évoluait dans l'espace avec une grâce parfaite. La danseuse, vêtue d'un tutu bleu pâle aux allures du costume traditionnel de son pays, faisait corps avec la musique. Elle s'élança dans un tour piqué en effectuant un manège vers l'intérieur. Lorsqu'elle eut fait le tour de la scène, une vingtaine de ballerines habillées d'un costume traditionnel identique, mais d'une teinte différente, un rose très pâle, entrèrent dans un mouvement tout aussi limpide empreint de délicatesse et d'élégance. La musique cessa le temps d'un silence, lorsque le danseur fit à son tour son entrée, pirouetta autour de la danseuse étoile avant de la prendre dans ses bras et de la soulever de terre, sous le regard ébahi des spectateurs qui emplissaient le magnifique théâtre de la capitale impériale. Le couple, maintenant uni pour l'éternité, effectua un pas de deux, tandis que les autres ballerines s'agenouillaient sur leur passage. La première partie du spectacle touchait à sa fin. La salle était comble, et les billets pour cette seule et unique représentation du ballet *Giselle* s'étaient vendus en un temps record.

Dans un des balcons ornés d'or aux tentures bleu poudre, le ministre Piotr Davidovitch, accompagné de sa corpulente mais charmante épouse au rire tonitruant et d'un couple de leurs amis, assistait au ballet avec bonheur. L'homme était féru de danse, et sa passion pour cet art était connue de tout le monde. Le conseiller politique du tsar était non seulement un homme très cultivé, mais aussi un mécène pour de nombreux artistes. Il n'hésitait pas à dénouer les cordons de sa bourse pour encourager peintres, sculpteurs, acteurs ou auteurs. Heureusement pour lui et pour ces artistes, l'homme était riche; il appartenait à une des plus vieilles familles d'aristocrates de Russie.

L'entracte fut annoncé. Le ministre invita sa femme et ses amis à aller prendre un rafraîchissement. Il tira le rideau de la loge et pria son monde de passer devant. Ce n'est qu'une fois qu'il fut sorti de la loge que se présenta à lui un homme vêtu d'un élégant smoking noir. Sans dire un mot, il s'arrêta devant le ministre et le regarda droit dans les yeux. Piotr Davidovitch allait lui parler lorsqu'il vit l'inconnu sortir un couteau de sa manche et le lui planter dans le cœur. Aussitôt fait, l'assassin s'élança vers la sortie sous les yeux horrifiés de la femme du ministre qui se mit à hurler au meurtre. La panique s'empara aussitôt de la foule, et le théâtre devint en un instant la scène d'un désordre incroyable. L'élite qui assistait à ce genre de spectacle parce qu'elle en avait les moyens, vêtue de tenues de qualité cousues de richesses et parée de bijoux, se précipita vers les sorties, oubliant toute réserve et toutes manières. L'hystérie s'était emparée des femmes, et les hommes jouaient du coude en direction des issues.

Quelques gardes de sécurité se précipitèrent vers le ministre de l'Intérieur. L'homme était étendu sur le sol, une partie de son corps reposant en travers des marches. Sa chemise blanche et son nœud papillon, blanc lui aussi, étaient maculés de sang. Le directeur du théâtre arriva sur les lieux en courant, puis s'accroupit avec empressement près du conseiller politique du tsar. Il tâta le pouls de l'homme, se pencha vers la bouche de la victime pour écouter, puis releva la tête en direction de l'épouse du ministre. Secouant doucement la tête de gauche à droite, il lui fit comprendre ce que tous ceux qui se trouvaient là savaient déjà : son mari était bien mort. La femme se remit à pleurer, tandis que le couple qui les accompagnait, elle et son mari, tentait de la réconforter.

Nul n'avait encore remarqué que le poignard qu'on venait de planter dans le cœur du ministre était en argent*.

Chapitre 10

Le Grand Maître Raspoutine-Novyï savait qu'il rêvait, c'était une évidence, il le ressentait. Déjà, le décor dans lequel il se trouvait ne ressemblait à rien de ce qu'il connaissait dans sa réalité, bien que l'austérité des lieux lui rappelât le Clos du diable, cet ermitage dans les Hautes Tatras, les montagnes des Carpates. Ce lieu retiré où se trouvaient les Piliers de l'Arcane, les gardiens de l'*arcana arcanorum* qu'il avait rencontrés quelques mois après sa nomination au titre de Grand Maître, ceux-là même qui lui avaient clairement fait comprendre qu'il n'était pas l'élu. Toutefois, depuis cette horrible rencontre, les cinq gardiens ne s'étaient jamais manifestés. Le moine en avait donc conclu que leur rôle n'avait pas une grande importance dans l'histoire, qu'il n'avait pas besoin d'eux pour atteindre son but et que leur présence n'était que poudre aux yeux, étalage, pacotille. Il atteindrait le secret des secrets sans passer par eux, et lorsqu'il aurait entre les mains ce fabuleux trésor, il leur montrerait qu'ils n'étaient rien, ni eux ni la Confrérie des Loups. Tout ce flafla et ces cérémonies, ces conventions et ces rituels lui avaient toujours donné envie de vomir, mais tout cela allait changer très bientôt.

L'endroit était froid et incolore, comme seuls peuvent l'être les lieux que l'on visite en rêve. Aucune odeur, aucun parfum ne s'en dégageait, ce qui confirmait au moine qu'il était bien dans un rêve, le sien. Il avançait sans savoir où il allait ni ce qu'il faisait là. Dans son esprit à demi conscient, il avait l'impression de marcher depuis des heures, même s'il savait que c'était faux. Au loin, très loin de lui, il perçut un faisceau de lumière qui éclairait un coffre. Au moment où il songea à s'en approcher, il se trouvait déjà devant lui.

De la grosseur d'une boîte* à chaussures, le coffret de couleur rouge orangé était posé sur une colonne de marbre richement décorée. Il était fait de bois d'if* et n'offrait ni charnières, ni poignée, ni serrure. Le contenant parfaitement carré ne présentait aucune aspérité, pas la moindre encoche. Raspoutine l'examina avec intérêt. Son instinct lui soufflait que cette boîte renfermait le secret des secrets. Il la prit dans ses mains, constata avec étonnement sa légèreté et la tourna sur elle-même.

À ses pieds, un éclat capta son regard: un poignard brillait grâce à une lumière dont la source était invisible. Le moine en était certain, il n'y était pas quelques instants auparavant, mais, après tout, qu'y avait-il de surprenant là-dedans ? Il était dans un rêve ! Et dans ce monde abstrait, tout était possible et la logique n'avait pas sa place.

Sans s'interroger davantage, il ramassa l'arme et, de sa pointe, tenta de forcer l'ouverture de la boîte. Il ne parvint qu'à détacher un minuscule éclat qui tomba à ses pieds. La dureté du bois rendait la tâche impossible, et bien vite le front du moine se couvrit de sueur sous l'effort.

— Tu ne parviendras jamais à l'ouvrir puisque son contenu ne t'est pas destiné ! entendit-il tout à coup.

On aurait dit que la voix venait de partout à la fois. Le moine regarda attentivement autour de lui en effectuant un tour sur lui-même, le couteau tendu devant lui comme pour se défendre.

— Gregori, mon vieil ami ! s'écria-t-il soudain lorsqu'il reconnut la voix de son ancien maître. Quelle joie de t'entendre !

— Je ne suis pas ton vieil ami, répondit la voix de baryton du patriarche des Loups.

— Voyons, voyons, Gregori ! Tu m'en veux toujours ? Tut, tut, tut ! La rancune est un vilain défaut ! se moqua le moine en continuant de chercher du regard où se trouvait le vieillard.

— Et tu t'y connais en vilains défauts, n'est-ce pas, Raspoutine ?

— Oui, on peut dire ça... On peut dire ça, reprit-il plus bas. Mais que veux-tu ? Il faut ce qu'il faut pour accéder à ses rêves ! Ce n'est pas à toi que je vais apprendre qu'il faut déployer toutes ses énergies et son potentiel pour parvenir à ses fins. C'est bien ce que l'on enseigne chez les Loups !

— Oui, mais ce rêve n'est pas le tien, répliqua aussitôt l'ancien prieur. Et la confrérie n'est pas là, quant à elle, pour réaliser les rêves de chacun. Elle œuvre dans un but ultime...

— Arrête tes balivernes, Gregori ! Durant ton règne, tu as fait passer tes désirs avant ceux de la confrérie. Tu n'as pas toujours été honnête, toi non plus. Tu as choisi Arkadi à la naissance pour satisfaire ton propre désir d'avoir un fils, délaissant totalement ta propre fille, et ensuite tu as choisi Viktor pour le voir te succéder à la tête de la confrérie lorsqu'il en aura l'âge.

— Ça me navre que tu le penses.

— Tout comme toi, j'ai moi aussi mes rêves ! s'écria le moine en perdant patience. J'ai travaillé dur pour les atteindre, et rien ni personne ne se mettra en travers de ma route.

— Oui, ça, nous l'avions déjà compris.

— Pour éviter que d'autres ne souffrent inutilement, tu devrais me dire tout de suite où se cache l'esprit des Anciens, que je puisse ouvrir cette fichue boîte et enfin découvrir ce qu'elle contient ! lança le prieur, un sourire sadique accroché aux lèvres.

À ce moment-là, il sentit un souffle dans son dos et se retourna vivement. Gregori Bogdanovitch se trouvait là, devant lui. Bien des années s'étaient écoulées depuis sa mort, mais le vieil homme n'avait pas changé. Ses cheveux et sa barbe étaient tout aussi blancs, et ses yeux gris cendré exprimaient toujours une vive intelligence. Raspoutine, le poignard toujours pointé vers l'avant, fit malgré lui un pas en arrière devant l'apparition.

— Te voilà enfin, dit-il. Je préfère te voir en face que lorsque tu me joues cette voix omniprésente qui sort d'on ne sait où. On dirait Dieu, sauf que nous savons tous les deux que tu ne l'es pas !

Le ton du moine se voulait crâneur, mais il était clair qu'il ne se sentait pas à l'aise devant le fantôme de l'ancien Grand Maître. Le spectre avança d'un pas pour combler l'espace qui le séparait du moine.

— Je veille sur ceux que j'aime comme l'ont fait les Anciens avant moi. Le secret des secrets ne t'est pas destiné, et si je suis là, dans ton rêve, c'est pour te dire que jamais tu ne l'atteindras, car tu ne possèdes pas les qualités nécessaires pour t'en emparer. Tu n'es pas celui qui devait être...

— Je suis le Grand Maître ! répliqua Raspoutine, criant de haine.

— Non. Tu es un usurpateur. Et c'est la mort qui t'attend.

— La mort ne me fait pas peur, je la contrôle !

— Elle viendra te chercher... très bientôt ! lança le vieux sage en souriant.

Raspoutine se réveilla en sursaut, trempé de la tête aux pieds. Il lui fallut plusieurs secondes avant de reprendre contact avec la réalité, avec son appartement du monastère Alexandre-Nevski. Près de lui, un corps remua. Le prieur jeta un coup d'œil morne à la jeune femme qui se trouvait endormie juste à ses côtés. Hagard, il se frotta les yeux avant de se diriger, en titubant, vers sa salle de bains privée où il s'envoya de grandes giclées d'eau froide au visage. Son miroir lui retourna l'image d'un visage fatigué et inquiet. Il se força à sourire avant de dire à son reflet :

— Ce n'était qu'un rêve, pauvre idiot ! Ressaisis-toi !

Raspoutine retourna vers son lit dans l'espoir de se rendormir et de finir sa nuit dans un sommeil réparateur, libre de rêves. Il se coucha sans faire attention à la demoiselle qui partageait son lit. Mais aussitôt qu'il s'allongea, il se redressa immédiatement dans un sursaut. Quelque chose venait de lui piquer le dos. Il alluma pour vérifier de quoi il pouvait bien s'agir et découvrit une petite éclisse de bois. Il fronça les sourcils avant de l'examiner plus attentivement. Son visage blêmit et ses mains se mirent à trembler lorsqu'il reconnut le bois rouge orangé, le même que celui du coffret qu'il avait tenu dans son rêve, ce coffret qui contenait l'*arcana arcanorum*. C'était le petit morceau qu'il avait lui-même fait sauter grâce au poignard.

Raspoutine déglutit en silence.

1er août 1914, palais d'Hiver, appartements privés du tsar Nicolas II, Petrograd

Le ministre des Affaires étrangères, le général Stanislas Korsakov, entra en trombe dans la petite bibliothèque du salon privé de Nicolas II. Celui-ci le dévisagea avec étonnement, tandis que l'impératrice Alexandra sursautait en émettant un petit cri. Il fallait que la nouvelle soit grave pour que l'homme ne se fasse pas annoncer et entre ainsi sans même frapper. Sans exécuter le salut protocolaire, sans même s'excuser de cette intrusion auprès du tsar et de la tsarine, le ministre s'écria :

— Votre Majesté, l'Allemagne vient de nous déclarer la guerre !

Le tsar déposa avec lenteur le livre qu'il était en train de lire, tout en tournant la tête vers sa femme qui, elle aussi, le dévisageait. La nouvelle, bien que foudroyante, n'en était pas vraiment une, mais elle était mauvaise. Depuis la visite du président de la République française, Raymond Poincaré, Nicolas II et son entourage attendaient cette déclaration avec appréhension. Mais comme dans ces moments graves où le pire est sur le point de se produire, il demeure toujours, au fond de tout être, cette petite lueur d'espoir en un improbable miracle.

Nicolas II, l'empereur de toutes les Russies, laissa échapper un profond soupir. Sa Russie natale entrait en guerre contre une grande puissance, et malgré le fait qu'il s'y était attendu, malgré les alliés, les pertes seraient énormes. Une guerre n'était jamais consciemment envisageable lorsque l'on en connaissait les vrais enjeux : les victimes, ces innocents qui, eux, n'avaient rien demandé !

L'empereur porta ses yeux bleus vers son ministre. Ce dernier fut alors le témoin privilégié de la peine qui défigurait les traits de son monarque. Nicolas II semblait avoir subitement vieilli de dix ans. Mais il se ressaisit rapidement et dit :

— Général Korsakov, faites appeler mes ministres. Nous devons nous réunir maintenant et nous préparer à repousser l'envahisseur.

Le conseiller du tsar fit un mouvement avant du torse et sortit aussitôt du cabinet de travail en refermant la porte derrière lui. Nicolas se tourna vers sa femme qui n'avait encore rien dit. Elle se leva et se dirigea vers lui. Sans un mot, elle le prit dans ses bras, et l'empereur se mit doucement à pleurer, silencieusement. Il savait que ce serait pour lui l'unique occasion de se permettre ce laisser-aller, et que seule son Alix pouvait être témoin de cette faiblesse d'âme.

Le train, enrobé d'un prodigieux nuage de fumée qui nappa les quais et les gens qui s'y trouvaient, entrait en gare dans un mouvement lent et impérieux. L'imposante machine ralentit au point que l'on pouvait la suivre sans avoir à courir. Un dernier et profond soupir confirma son arrêt, et il ne fallut pas attendre longtemps avant de voir les portières s'ouvrir et les premiers voyageurs descendre des wagons.

Des voix s'élevaient et des bras s'agitaient dans le but d'attirer l'attention des arrivants que l'on venait chercher. Les retrouvailles étaient pour certains démonstratives, et pour d'autres, plus posées, plus discrètes.

Le magnifique visage d'Ekaterina apparut dans l'embrasure de la portière et c'est avec grâce qu'elle posa le pied sur le quai. Rares avaient été les moments dans sa vie où elle avait revêtu une vraie toilette féminine, mais pour sa venue à Petrograd et pour passer inaperçue (en ce début de XXe siècle, les femmes ne portaient pas encore le pantalon), elle avait troqué la tenue d'homme en daim qu'elle portait depuis son enfance pour un tailleur de couleur vieux rose et chocolat, à la dernière mode. Ses pieds étaient chaussés de bottillons de cuir brun, et un élégant chapeau marron rehaussé d'une voilette cachait ses cheveux auburn remontés en chignon. De longs gants assortis protégeaient ses mains fraîchement manucurées, et un joli balluchon agencé au chapeau se balançait à son coude replié.

D'une élégance naturelle, elle semblait avoir porté ce genre de toilette toute sa vie; pourtant, la Louve était bien plus à l'aise dans un pantalon que dans ce genre de tenue. Heureusement pour elle, Paul Poiret* venait de bannir les corsets de la garde-robe féminine. La femme pouvait enfin respirer librement.

La Louve jeta à la ronde un œil légèrement inquiet avant de lever la tête vers une autre silhouette qui empruntait le marchepied pour descendre du train. Sevastian lui sourit en glissant son bras au sien. Il était lui aussi méconnaissable, avec sa tenue de bourgeois en soie de couleur anthracite et son canotier.

— Nous y voilà ! lança-t-il à Ekaterina dans un demi-sourire en se penchant vers son oreille. As-tu remarqué quelque chose ?

— Non, je ne crois pas que nous soyons surveillés.

— Alors marchons et quittons les lieux. Feignons de savoir ce que nous faisons et où nous allons, nous nous ferons moins remarquer !

Au même moment, un bagagiste leur remit leurs malles de voyage. Le Loup lui glissa dans la main quelques kopecks en le remerciant.

À la sortie de la gare, le couple s'engouffra dans une voiture Torpedo avec conduite à l'extérieur, tout en indiquant au chauffeur le nom de l'hôtel où ils désiraient se rendre : le Zibeline.

Leur plan était parfaitement établi. Ekaterina et Sevastian débarquaient dans la capitale impériale tout à fait incognito. Personne n'avait été prévenu de leur arrivée, personne n'était même au courant de leur départ. Raspoutine apprendrait bien assez vite que les deux Loups avaient quitté le monastère sans sa permission ; aussitôt, en fait, que la nouvelle serait connue du conseiller Vsevolov, mais d'ici là, ils espéraient avoir trouvé ce qu'ils cherchaient.

Sevastian avait été grandement surpris de voir la Louve toquer à sa porte en plein milieu de la nuit, tandis qu'il la croyait profondément endormie grâce au sédatif que lui avait administré le praticien Yamirkovov. Il avait alors envisagé que la femme à demi éveillée fût prise de somnambulisme, et il s'apprêtait à la ramener à sa chambre lorsque celle-ci lui avait saisi le bras avec fermeté pour lui faire part de ses intentions. Non, elle n'était plus malade, elle allait très bien et elle venait lui demander son aide. Il l'avait d'abord dévisagée, abasourdi de la voir en si grande forme et totalement en contrôle de ses pensées et de ses sentiments. Quelques heures plus tôt, il l'avait quittée alors qu'elle vivait des heures si sombres, peuplées de mauvais rêves et d'idées noires.

La période qu'il avait passée à son chevet avait été un cauchemar, aussi bien pour lui que pour Ekaterina. La Louve était dépressive, et il était resté de longues heures à écouter et à subir ses plaintes et ses délires.

Et là, elle se tenait devant lui en pleine forme, décidée comme jamais à reprendre sa vie en main et, surtout, à freiner les drames qui s'abattaient sur le monastère. Elle lui avait répété ce que lui-même s'était dit des heures auparavant, comme si elle avait infiltré ses pensées. La Chef de meute avait exposé son plan à son ami et frère d'armes, d'abord avec nervosité. Cependant, elle avait été rapidement rassurée par l'écoute attentive de Sevastian, et elle avait su qu'il était de son côté. Le Loup était lui aussi décidé à intervenir dans le déroulement des choses. Ils avaient parlé jusqu'au matin et avaient établi en détail la suite des événements.

Sans perdre plus de temps, ils quittèrent donc le monastère Ipatiev vingt-quatre heures après, aux aurores, alors que la maisonnée dormait encore. Seul Iziaslav fut mis au courant de leur départ. Pour plus de sécurité, ils ne lui révélèrent pas à quel endroit ils se rendaient exactement, ni quels étaient leurs projets. Le Chef de meute ne sembla pas s'en offusquer. Ce départ ressemblait à une mission comme ils avaient l'habitude d'en vivre, et, dans toute mission, le secret est de rigueur. Mais avant qu'ils ne quittent le domaine, il leur dit :

— Ne me dites rien, ne confirmez pas mes dires, mais je veux juste que vous sachiez que je sais que vous avez décidé de régler certaines choses et que vous partez à la recherche d'Arkadi. Je tenterai de vous couvrir le plus longtemps possible. D'ailleurs, j'ignore totalement que vous avez quitté le monastère, leur lança-t-il dans un clin d'œil, et encore moins quels sont vos projets. Bonne chance ! Je suis avec vous !

Le train les prit à la gare de Kostroma et, quelques heures plus tard, ils débarquaient dans la capitale impériale. Leur mission était commencée, et c'était avec toute l'efficacité dont ils étaient capables qu'ils allaient l'accomplir. Après tout, ils étaient des Loups.

Chapitre 11

Ekaterina était arrivée à la commanderie sitôt qu'elle avait su que Raspoutine en serait absent. Elle portait toujours une tenue féminine afin de passer inaperçue le plus possible. Elle souhaitait ne pas attirer l'attention sur elle et, pour circuler librement dans les rues de la capitale sans se faire remarquer, elle avait revêtu un tailleur noir et crème composé d'une redingote, d'une longue jupe et d'un chemisier en mousseline. Elle était tout simplement splendide. Sevastian, après l'avoir rejointe pour le petit-déjeuner dans le restaurant de l'hôtel, fut encore une fois agréablement surpris de découvrir toute la féminité de la Louve et il lui en fit part. Il soumit l'idée que la confrérie devrait peut-être revoir la garde-robe des Louves ; après tout, il n'était pas nécessaire qu'elles soient vêtues comme des hommes en tout temps. Ce à quoi Ekaterina lui répondit qu'elle préférait se promener en pantalon que de porter des jupes, qu'elle trouvait franchement inconfortables !

Lorsque Viktor entra dans la bibliothèque, elle lui faisait dos et il ne la reconnut pas tout de suite à cause de sa tenue. Jamais il ne l'avait vue ainsi vêtue. La Louve sentit la présence du jeune derrière elle, ainsi que les questions qui lui traversaient l'esprit. Elle lisait son questionnement et s'en amusait intérieurement. Le garçon s'interrogeait sur la présence de cette femme élégante à la commanderie et qui avait demandé à le voir, lorsqu'elle se tourna enfin vers lui.

Viktor ouvrit de grands yeux en la reconnaissant enfin avant de s'élancer vers elle pour se jeter dans ses bras.

— Ekaterina, que je suis heureux de te voir, tu m'as tellement manqué ! dit-il les yeux noyés de larmes.

— Menteur ! répondit la femme en souriant, visiblement heureuse de revoir cet enfant qu'elle avait toujours considéré comme le sien.

— C'est vrai, affirma le jeune en s'essuyant du revers de sa manche. Je t'aime tant... Mais pourquoi es-tu vêtue de la sorte ? En tout cas, tu es très belle ainsi habillée. As-tu vu Arkadi depuis ton arrivée ?

— Que de questions, tu m'étourdis ! Non, je ne l'ai pas vu, répondit alors Ekaterina. Son regard se teintait d'inquiétude, ce que Viktor remarqua aussitôt. Et toi, quand l'as-tu vu pour la dernière fois ?

— Il y a plusieurs jours de cela, et je ne comprends pas je n'aie pas de ses nouvelles depuis. Je me disais qu'il devait être très occupé, ne crois-tu pas Ekaterina ? Je crois que je l'ai déçu..., reprit-il en baissant la voix.

— Pourquoi dis-tu cela ?

— Parce que je lui ai dit que j'appréciais le Grand Maître.

— Tu lui as dit ça ? s'étonna la Louve, mais devant le regard triste du Jeune Loup, elle changea d'attitude. Je ne crois pas que ton père t'en veuille pour cela, ne t'inquiète pas.

Viktor demeura un instant silencieux avant de demander :

— Tu es venue ici en mission ?

— Oui, Viktor, je suis en mission, mais pas comme celles que tu as l'habitude de faire, un tout autre genre.

— Quel genre exactement ? Tu peux m'en parler ?

La Louve passa sa main dans les cheveux hirsutes du jeune. Il avait tant changé depuis son départ ! Il avait grandi et son regard affichait plus de détermination, bien qu'entaché de tristesse, et la Louve comprit que cette mélancolie était certainement liée à Arkadi.

— Je suis ici pour ça, Viktor. J'ai beaucoup de choses à te dire.

— Comment avez-vous pu faire ça ? hurla Viktor en entrant en trombe dans le bureau du Grand Maître, à la commanderie. Comment avez-vous pu me trahir ainsi ? J'avais confiance en vous !

Le garçon était hors de lui. Jamais encore le prieur du monastère Ipatiev ne l'avait vu dans un tel état. Ses yeux couleur ciel avaient pris une teinte orageuse, et quelque chose de grave se dégageait de ce regard habituellement si doux, quelque chose qui déstabilisa un instant Raspoutine. Pour que le Jeune Loup soit dans cet état, il devait avoir appris quelque chose que le moine avait soigneusement tenté de lui cacher. Il essaya de lire en lui, mais il réalisa, à sa grande surprise, que l'enfant avait fermé les portes de son esprit. Les facultés de son élève allaient croissant, et la vitesse à laquelle il apprenait était tout à fait stupéfiante. Néanmoins, le moine était loin de se douter que Viktor avait atteint ce degré de contrôle.

— Je te demande pardon ? s'écria le magistère en se dressant de son fauteuil avec une telle vigueur que celui-ci se renversa. De quel droit, jeune impertinent, te permets-tu d'entrer ainsi dans mon bureau et de me parler sur ce ton ? Qui t'a autorisé à pénétrer ici ? Tu mérites le fouet ! renchérit le moine en haussant le ton et en effectuant un mouvement vers le jeune.

Mais Viktor fit lui aussi un pas vers Raspoutine en le braquant de ses yeux couleur orage, et le magistère comprit aussitôt que le Jeune Loup n'était pas impressionné par sa colère. Bien peu de gens, au cours de sa vie, avaient été capables de le braver, et voilà que ce jeune de quatorze ans se dressait devant lui avec une audace étonnante. L'attitude de Viktor bouleversait le Grand Maître, bien plus qu'il ne l'aurait souhaité. Le Jeune Loup pointa son index vers lui.

— Le fouet ? s'exclama le jeune, presque en riant. Jamais, vous m'entendez ? Jamais je ne vous laisserai me toucher ! Jamais plus je ne vous ferai confiance, jamais plus vous ne me manipulerez. Vous m'avez trahi, souffla-t-il.

Son ton venait de baisser d'un cran et il était empreint d'une telle menace que le prieur en fut troublé. Non de façon émotionnelle, car il en fallait plus pour intimider un homme tel que Raspoutine, mais plutôt d'extase. À ses côtés, Viktor était rapidement passé de l'enfant timide et réservé à cet adolescent charismatique. Il maîtrisait ses sens et ses facultés avec intelligence. Le magistère était fier de ce qu'il voyait, et il hésitait entre sourire et entrer dans une fureur terrifiante afin de remettre cet insolent à sa place. Mais il choisit plutôt de se mettre à son niveau et de tenter de savoir pourquoi son élève éprouvait subitement tant de haine à son égard.

— Calme-toi, Viktor, clama la voix puissante du Grand Maître, et dis-moi de quoi tu m'accuses au juste. Puis-je le savoir ? Ai-je le droit de me défendre ? dit-il en tentant de contrôler son humeur, car bien que Viktor l'impressionnât, il n'en demeurait pas moins qu'il s'était adressé à lui comme à un vulgaire manant. Et pour moins que ça, d'autres avaient laissé leur vie.

— Voilà bien de quoi il s'agit en réalité, d'accusations ! Vous avez décrété la mort de mon père, car il vous accusait de meurtre devant le tsar. Notre empereur a rejeté ces accusations, et vous avez aussitôt donné l'ordre qu'il soit exécuté. Je vous connais maintenant assez pour savoir que vous avez manipulé le tsar pour qu'un tel verdict tombe, car je sais qui vous êtes et ce à quoi vous êtes prêt pour arriver à vos fins.

Raspoutine inspira. Cette fois, Viktor allait trop loin. Le Grand Maître sentait monter en lui une violente colère. Il allait répondre quand le jeune leva la main dans sa direction pour lui intimer de se taire. Une force étonnante se dégageait de lui, ce qui tétanisa le moine. L'élève semblait bel et bien avoir dépassé son maître. Le moine commençait à perdre patience.

— Je vous hais, Raspoutine, et je vous quitte ! Je retourne à Ipatiev pour y poursuivre mon apprentissage. Mais avant, je vais tenter de retrouver mon père que vous avez forcé à l'exil afin d'éviter la mort, et je vais lui demander pardon. J'espère de tout mon cœur qu'il me pardonnera de lui avoir fait croire que vous passiez avant, qu'il me pardonnera d'avoir cru en vous plus qu'en lui. Vous n'êtes plus mon maître, et il me faudra une vie entière pour me pardonner à mon tour de vous avoir fait confiance. Je ne vaux guère plus que vous puisqu'en me liant à vous, j'ai trahi mon père. Il m'avait pourtant mis en garde contre votre esprit démoniaque et je ne l'ai pas cru. Je pensais alors qu'il était jaloux de l'attention que vous me portiez. Que je fus naïf !

Une haine presque palpable se dégageait de tout son être. Viktor fixait le moine avec mépris tandis que celui-ci, de son côté, était totalement ébranlé. Il ne parvenait plus à contrôler le Jeune Loup. Cette personnalité dominante avait été créée par lui ; c'est lui, Raspoutine, qui avait mené le Jeune Loup au-delà de ce qu'il était, au-delà de cet être doux et généreux qu'il avait été par le passé, et voilà que le garçon se détournait de lui.

— Je ne te donne pas l'autorisation de quitter la commanderie et encore moins la capitale ! s'écria le prieur avec violence, en s'avançant jusqu'à Viktor pour lui saisir le bras avec brusquerie.

Viktor le toisa un instant avant de lui répondre :

— Je me passerai de votre autorisation, Raspoutine.

Le moine ouvrit de grands yeux, abasourdi par son aplomb, tandis que l'adolescent se dégageait de sa robuste poigne.

Sans rien ajouter, le Jeune Loup se dirigea vers la porte du bureau du magistère, demeurée ouverte. C'est alors seulement que le Grand Maître aperçut une femme d'une grande beauté, vêtue avec élégance et qui le dévisageait avec une haine à peine contenue. Il fronça les sourcils avant de la reconnaître enfin : Ekaterina.

C'était donc ça. La Louve était venue chercher Viktor, et c'est par elle qu'il avait appris ce qui s'était passé avec Arkadi. Pour l'une des rares fois de sa vie, Raspoutine sentit le sol se dérober sous ses pieds. Sur un ton lugubre et menaçant, il dit à Viktor, tout en dévisageant la Louve :

— Si tu passes cette porte, tu seras toi aussi banni de la confrérie. Et tu sais ce que cela implique : la mise à mort.

Viktor se tourna aussitôt vers le moine qui semblait de plus en plus affaibli.

— Dans ce cas, Raspoutine, je vous provoque en duel !

À suivre...

Des personnages plus grands que nature... et quelques lieux et faits historiques

Alexandra Fedorovna Romanova : la tsarine (1872-1918). Impératrice souveraine de Russie, née en Allemagne, de son vrai nom Alexandra de Hesse-Darmstadt.

Alsace-Lorraine : ensemble formé par les territoires alsaciens et lorrains, qui fut annexé à l'empire allemand en 1871. L'Alsace-Lorraine résista à l'assimilation allemande jusqu'à son retour à la France en 1919. En 1940, les Allemands reprirent ces territoires, puis ceux-ci furent encore une fois rendus à la France à la Libération.

Catherine II, la Grande : impératrice de Russie et épouse de Pierre III (1729-1796). Elle renversa son mari pour instaurer un règne de despotisme éclairé. Elle établit des réformes et renforça le pouvoir de la noblesse au détriment des paysans, ce qui entraîna la révolte des serfs. Sous son règne, la Russie connut une large expansion territoriale et culturelle. C'est elle qui fit bâtir l'Hermitage afin d'y accueillir les plus belles œuvres du monde entier, faisant de

Saint-Pétersbourg une capitale culturelle des plus importantes.

Dimitri Pavlovitch Romanov : grand-duc de Russie (1891-1942). Son père, Paul Alexandrovitch, fut banni de Russie par le tsar Nicolas II (son frère) pour avoir épousé la femme d'un colonel malgré l'interdiction de l'empereur. Dimitri vécut en Russie avec sa sœur Maria Pavlovna de Russie, dont il était très proche. Ils retrouvèrent les privilèges liés à leur rang ainsi que leurs titres quand Nicolas II autorisa le retour de son frère, après que celui-ci eut combattu pour la Russie durant la Première Guerre mondiale. Le grand-duc était reconnu pour sa beauté et son succès auprès des femmes. Il eut pour amante, entre autres, Coco Chanel. C'est lui qui dessina le flacon du célèbre parfum N°5. Jugé par le Conseil pour une affaire de meurtre, il s'exila en Perse. Il ne retourna jamais vivre en Russie, mais passa les dernières années de sa vie en France.

Felix Youssoupoff : prince et comte Soumakoroff-Elston (1887-1967). Fils de la princesse Zinaïda Youssoupoff et du comte Soumakoroff-Elston, il devint, à la mort de son frère, le seul héritier de l'une des plus grandes fortunes d'Europe. Il épousa la nièce du tsar, Irina Alexandrovna. C'est un homme dont les convictions dictèrent les actes.

François-Ferdinand de Habsbourg : archiduc d'Autriche (1863-1914). Il était le neveu de l'empereur François-Joseph. Son assassinat et celui de sa femme, Sophie de Hohenberg, survenus à Sarajevo le 28 juin 1914, furent un des éléments déclencheurs de la Première Guerre mondiale (1914-1918).

Harry Houdini : de son vrai nom Ehrich Weiss (1874-1926). Grand prestidigitateur américain de renommée mondiale, né en Hongrie, à Budapest.

Herbert Henry Asquith : comte d'Oxford et Asquith (1852-1928). Premier ministre de la Grande-Bretagne de 1908 à 1916. C'est lui qui déclara la guerre à l'Allemagne après que celle-ci eut envahi la Belgique en août 1914.

Ievgueni Sergueïevitch Botkine : médecin personnel du tsar Nicolas II et fidèle allié (1865-1918). Il suivit la famille impériale dans son exil jusqu'à Iekaterinbourg, où il mourut.

Lénine : Vladimir Ilitch Oulianov, dit Lénine (1870-1924). Homme politique russe. Après une déportation de trois ans en Sibérie et un exil en Suisse, il publia en 1902 un exposé sur sa conception d'un parti révolutionnaire centralisé, *Que faire ?*. Il devint chef du

Parti ouvrier social-démocrate de Russie et forma une faction bolchévique. Cet homme politique fut un des personnages marquants du changement du système politique de la Russie.

Paul Poiret : couturier français (1879-1944). Il transforma la mode féminine en favorisant, dès 1906, des vêtements à la coupe simple et plus confortable. C'est lui qui lança les premières tenues sans baleine et sans corset. Il est considéré comme un des pères du style Art déco.

Petrograd : Saint-Pétersbourg devint Petrograd le 19 juillet 1914, à la veille de la Première Guerre mondiale. Le nom de Saint-Pétersbourg ayant une consonance trop allemande, il fut alors décidé de russifier le nom de la capitale fondée par Pierre le Grand.

Pierre-et-Paul (la forteresse) : l'ancienne forteresse militaire qui occupe toute la surface de l'île aux Lièvres (Zaïatchi) fait face à Saint-Pétersbourg. Elle abrite dans son enceinte hexagonale l'église Pierre-et-Paul, gardée par six bastions. La forteresse fut construite pour assurer la surveillance de la Baltique et son accès à la Neva. Vu de haut, l'ensemble ressemble à une étoile, et ses bâtiments sont en briques rouges. On y accède par un pont en bois.

Pierre le Grand de Russie : tsar de Russie, de son vrai nom Piotr Alekseïevitch Romanov (1672-1725). Il est considéré comme le père de la Russie moderne. Sa politique d'expansion permit à son pays de figurer parmi les grandes puissances européennes. Une des œuvres majeures de son règne fut la construction de Saint-Pétersbourg, qu'il désigna comme la capitale de la Russie.

Première Guerre mondiale (la) (1914-1918) : à la suite de l'assassinat de l'archiduc François-Ferdinand, en voyage à Sarajevo, et en raison des conflits latents entre les Balkans et l'empire autrichien, l'Autriche déclare la guerre à la Serbie après lui avoir lancé un ultimatum qui fut refusé. Ces Empires centraux qui forment la Triple-Alliance (l'Allemagne, l'Autriche et la Hongrie) déclarent aussitôt la guerre au royaume de Serbie et à ses alliés, soit la Russie, la France et l'Angleterre (qui avaient peu avant conclu la Triple-Entente) et à leurs empires coloniaux. Se joignirent ensuite au conflit la Belgique, la Turquie, l'Italie (qui, dans un premier temps, se tenait aux côtés de l'Allemagne et de l'Autriche), le Portugal, la Grèce, la Roumanie, le Japon, la Chine, les États-Unis et le Canada. Le combat se déroulera sur différents fronts, principalement en Europe, mais également en Afrique du Nord, dans l'Atlantique Nord et en Asie.

La Première Guerre mondiale sera par la suite décrite comme une guerre de tranchées. La Russie entrera dans cette guerre elle aussi, et ses pertes seront dramatiques, entraînant l'empire dans une grave crise économique, politique et sociale et ouvrant ainsi toutes grandes les portes aux bolchéviques.

On estime que cette guerre aurait coûté la vie à plus de 10 millions de personnes.

Raspoutine a sauvé la vie du tsarevitch : Raspoutine parvint à gagner l'estime inébranlable de Nicolas II et de la tsarine Alexandra parce qu'il contint plusieurs fois les hémorragies du jeune Alexis, et ce, même à distance. Un jour, alors que le moine se trouvait à plusieurs kilomètres du jeune Alexis, celui-ci fut victime d'une hémorragie, et c'est par téléphone que le *staretz* aurait accompli de nouveau ce miracle.

Raymond Poincaré : homme d'État français (1860-1934). Il mena une politique de fermeté envers l'Allemagne et s'employa à consolider les liens entre la Grande-Bretagne et la Russie et leurs empires coloniaux pour former la Triple-Entente. Il fut président de la République de 1913 à 1920, et de 1926 à 1929.

Révolution française (la) : période de l'histoire de la France qui débuta en 1789 avec la prise de la Bastille, et s'acheva en 1799 avec le coup d'État de Napoléon Bonaparte. La Révolution française marque la fin de l'Ancien Régime, celui du royaume de France, et l'instauration de la Première République. Ce fut la fin de la royauté et des privilèges pour la noblesse française.

Zinaïda Youssoupoff (1861-1939) : princesse et unique héritière de la puissante famille Youssoupoff (1861-1939). Elle épousa le comte Soumakoroff-Elston, avec qui elle eut deux fils : Nicolas, qui mourut dans un duel, et Felix, qui connut également un destin particulier. Immensément riche, la famille Youssoupoff possédait seize châteaux et palais, en plus d'une partie des industries de la Russie. C'était une des familles les plus riches d'Europe.

Un peu de symbolisme pour mieux comprendre certains choix de l'auteure

Argent (l') : le symbole de l'argent (masculin) est en opposition avec celui de l'or (féminin), et représente la Lune. C'est aussi le métal symbolisant la royauté. Dans les croyances russes, il représente la pureté et la purification. Cependant, sur le plan philosophique, il représente la cupidité et la perversion.

Bois : le bois est le symbole de la matière première et de la substance universelle (*materia prima*) ; il est la matière qui recèle la sagesse et la science de toutes choses, et représente la demeure de Dieu. En Chine, il constitue le cinquième élément, alors que dans la liturgie catholique, il est synonyme de la croix. Dans différentes cultures, il est consacré aux divinités sous forme de sculptures.

Boîte : symbole féminin représentant le corps maternel qui contient le secret de la vie. La boîte protège ce qui est précieux. Depuis toujours, dans les contes et les légendes, elle est celle qui contient la richesse. Qu'elle soit richement décorée ou totalement dépouillée, sa valeur est toujours liée au contenu qu'elle préserve.

If : selon certaines traditions, ce bois dur est issu du plus vieil arbre de la création et représente l'immortalité (l'if peut vivre jusqu'à deux mille ans). Sa dureté en fait l'emblème de la force, et son bois est glorifié par les militaires et les guerriers dans les textes traditionnels de plusieurs pays nordiques. L'if est très présent dans l'univers celtique. Paradoxalement, son

symbolisme est également lié à la toxicité de ses fruits. Il est le symbole de la vie et de la mort. Dans certains textes, César relate la fin de chefs qui se seraient donné la mort en consommant son fruit.
(L'auteure fait donc ici un lien symbolique avec la boîte et le pouvoir absolu qu'elle préserve.)

Quelques mots et dénominations que l'on connaît moins

Anaphore (une) : répétition d'un mot en tête de plusieurs membres de phrase pour obtenir un effet de renforcement ou de symétrie (*Dixel: Dictionnaire le Robert 2010*).
Balluchon (un) : petit sac à main ressemblant à une bourse, se fermant par un cordon.
Bolchevik ou bolchevique (un ou une) : individu appartenant à la faction du Parti ouvrier social-démocrate russe qui suivit Lénine après la scission, en 1903, d'avec les mencheviks.
Claymore (une) : grande épée des guerriers écossais, qui se manie des deux mains.
Diatribe (une) : critique violente.
Île aux Lièvres (l') : nom français de Zaïatchi.
Kasha (la) : bouillie de céréales ressemblant à du gruau, à laquelle on ajoute du lait de vache ou de chèvre.

Katana **:** sabre des Samouraïs.

Koulibiak **(un) :** pâte levée de forme ovale ou rectangulaire, farcie de céréales, de viande ou de légumes.

Matines : office célébré par les moines entre minuit et le lever du soleil.

Mauresque (adj.) : style d'architecture arabe (les Maures), principalement musulman, très prisé au début du XXe siècle.

Shuriken **:** arme japonaise de lancer.

Staretz **(un) :** titre donné à des moines laïques ou religieux que l'on venait consulter en qualité de prophètes.

Tanto **:** sabre japonais à un seul tranchant.

Torpedo (une) : de torpille. Automobile décapotable de forme allongée.

Ubiquitaire : partout à la fois.

Yatagan (un) : sabre turc à lame recourbée vers la pointe.

Zaïatchi **:** voir l'île aux Lièvres.

La production du titre *Les Loups du tsar, Choix et trahisons* sur 1306 lb de papier Enviro 100 antique naturel 100M plutôt que sur du papier vierge aide l'environnement des façons suivantes :

Arbres sauvés : 11

Évite la production de déchets solides de 320 kg

Réduit la quantité d'eau utilisée de 30 268 L

Réduit les émissions atmosphériques de 703 kg